JN069124

堀真一郎 著

黎明書房

むかし、北陸地方の小さな村に、
きかんきの強い、
しかし、口惜しくても嬉しくても
よく泣く男の子がありました。
これは、ほんとうにあったお話です。

まいった。ほんとに。ほりさん、ずるいよ。

高橋源一郎

「ごうじょう者のしんちゃん」は、ちいさなちいさな学校、南アルプス子どもの村でやっている、ちいさなちいさなプロジェクトのひとつ、その中のまたちいさな試みから生まれた手作りの雑誌の中で連載されていました。読者は多くても百人もいないのではないでしょうか。中学生たちが、自分たちだけで作るその雑誌は、生き生きと輝いていて、実は、「ごうじょう者のしんちゃん」のすぐ横では、ぼくの連載もあったのです（すいません、最近さぼってるんです！）。なんて、豪華なんだ（笑）。

雑誌が届くと、ぼくは、いつも、「しんちゃん」を真っ先に読むことにしていました。なんていったって、同じ雑誌のライヴァルなんですからね。でも、読むたびに、いつも、ほんとにガッカリしたんです。どうしよう、ぼくが書いたものより「しんちゃん」のほうがおもしろい、プロの作家のプライドが……。

今回、まとめて読んで、そりゃあおもしろいよね、と脱帽しました。なぜでしょうか。「ほりさん」と最初にお会いしてから、たぶん十年くらいたっているんじゃないでしょうか。「ほりさん」には、いくつもの面があります。ひょうひょうとして、また茫洋として、でも、しっかりとなんでも受け止めてくれるふところの深いおとなの面。それから、教えているはずの子どもたちよりも、ずっと子どもっぽい面。それから、さらに、どんな困難もかえりみず理想を追い求めて進んでゆく、若者みたいな面。学校や教育という、なにかを作り、変えてゆくことがもっとも困難な場所で、背筋を伸ばし、巨大な象みたいにひたすら前進してゆく頑固な、いや、「ごうじょうな」面。それから、みんなに心配されても無視して、毎日のようにひとりでパジェロで日本中を走り回る、自由……わがまま?……な面。その他、いろいろ。そんな「ほりさん」がどうやって生まれたのか、ぼくは、長い間、疑問に思っていました。いきなり、ああいう「ほりさん」ができるわけなんかないかまいった。ほんとに。ほりさん，ずるいよ。

らなあ。

その疑問は、この「ごうじょう者のしんちゃん」を読んですっかり解消したのでした。息が詰まるような都会ではなく、素晴らしくも懐かしい空気と土と自然といきものたち、そして、柔らかい心を持ったおとなたちに囲まれて、「しんちゃん」は「ほりさん」になっていったのでした。うらやましいです。この本を読むと、誰だって、子どもたちが、この「しんちゃん」のような環境で育ち、「しんちゃん」のように育つといいなと思うでしょう。っていうか、そんな「しんちゃん」だった過去を持つ「ほりさん」だからこそ、あんな素晴らしい学校を作ろうと思ったのかもしれませんね。

ああ、忘れていたけど、「ほりさん」は、「わたしは三八歳です」とずっといっているんですが、もしかして、ちょっとだけウソつきの面があるんじゃないでしょうかねえ。「しんちゃん」を読んでいると、ときどき、ウソをついていたって書いてあるからなあ。ちがう？

目次

目 次

1　人生最初の記憶

小学生のころ、しんちゃんはメガネをかけた人が苦手だった。

店でなにか買い物をするときでも、メガネをかけた店員さんとかけていない店員さんがいると、いつもきまってかけていない人のところへお金を払いに行く。外で歩いていて向こうからメガネをかけた人がくると、なんとなく道をよけてしまう。どういうわけか、メガネをかけている人に会うと、こちらの弱みをつかんでいる人のような気がするのだ。

こんなこともあった。小学校の四年生になった時に担任の先生が変わった。新しい先生は順子先生といって、年は三〇歳くらいだ。一年から三年までの担任はたまき先生で、四〇歳くらい。メガネをかけている。やさしい先生で、しんちゃんをよくかわいがってくれた。よくほめてくれた。

「しんちゃんは、すごくかしこい子です。だから大人になったらきっと大学の先生になるでしょう。」

などと、みんなの前でいわれたこともある。とてもいい先生なのだ。

しかし、新しい担任が順子先生だと知らされた時、しんちゃんは自分が思わずニッコリしていることに気がついた。なぜだろう？　順子先生が若いから？　すらっとして背が高いから？　それとも美人だと評判だから…………？

たまき先生もやさしい。めったに怒らない。教え方もとても上手だ。文句のつけようがない。でも、順子先生とのちがいは何か？

しんちゃんはなやんだ。三日間なやんだ。そしてハッと気がついた。…………そうだ、順子先生はメガネをかけていない！　二人の先生のちがいはそれしかない。

でも……どうしてだろう。しんちゃんはまたなやんだ。順子先生がメガネをかけていないというだけの理由で、なぜあの日、ぼくはニッコリしてしまったのだろうか。

それからまた何日かがすぎた。その日、しんちゃんは三人の友だちと石段登りのゲームをしていた。その石段というのは、しんちゃんの住んでいる村から学校への通学路の最後のところにある。幅が二メートルくらいの小さな川に石の橋がかかっていて、それをわたると二〇段くらいの登りの石の段がつづいている、それを上りきると広いグラウンドが待っている。

しんちゃんの村の小学生たちは、その石段のいちばん下にたどり着くと、毎日のようにそこからゲームを始める。じゃんけんをして勝つと、決まった数だけ石段を登るのだ。グーで勝つと三段、チョキで勝つと一段、パーなら二段登る。いちばん先に登り終わった子が優勝だ。ただし最後の段でピッタリ終われるように勝たなくてはいけない。たとえばあと二段で終わりという場合は、パーで勝つかチョキで二回つづけて勝たないといけない。かんたんなようで、なかなかこまかい戦略の必要なゲームなのだ。

さてその日、しんちゃんはゲームの始まる直前になにげなく石段の前の橋に目を向けた。そしてとつぜん思い出したのだ。

そうだ、ぼくは、この橋のこの場所でウンチをしたんだ！

しんちゃんの記憶がよみがえった。

ずーっと向こうのほうから、しんちゃんのひいおばあちゃんが、杖をついてゆっくり歩いてくる。あっ、おばあちゃんがくる。どこへ行くんだろう。なにしにきたんだろう？ふと気がつくと、足元に大きな黄色いかたまりが湯気をたてている。……しんちゃんが橋の上でウンチをしてしまったのだ。おばあちゃんは、だんだん近づいてくる。そのとき、

「まあ！　しんちゃん、どうしたの？」

という声が石段の上から聞こえてきた。おかあさんだ。このころ、おかあさんはこの学校の先生をしていたのだ。

あとでわかったのだが、通りかかっただれかが、しんちゃんを見つけて学校へ知らせたらしい。それでおかあさんが駆けつけてきたわけだ。おかあさんもびっくりしたにちがいない。まだ二歳もならない子が、母親のあとを追って一キロもの道をやってきたのだ。そのうえ橋の上にはりっぱなウンチが！　ようやくたどりついたひいおばあちゃんは、ひ

孫を見つけて涙を流している。きっと村じゅうあちこち探しまわったのだろう。

おかあさんはしんちゃんを学校の用務員室へ連れて行くと、あたたかいお湯でしんちゃんのお尻をていねいに拭いてくれた。しんちゃんはうれしくなって、とうとう泣いてしまった。おかあさんがやさしく抱きしめてくれた。

そのときだ。とつぜん男の人の声がした。

「先生、どうしました？」

太い大きな声だった。しんちゃんはその声のほうを向いた。大きな男が立っていた。男はゆっくりとしんちゃんのそばへやってきた。

「おや、しんちゃんじゃないかね。いったいどうしたんだ？」

しんちゃんは、その男の顔を見た。なんとなく笑っているようにも見える。しかし、いっしゅん恐怖が全身を走った。しんちゃんは逃げた。いや、逃げようとした、しかし足腰が立たない。それでも逃げた。あかんぼうのように這って逃げた。どこまでも逃げた。

しんちゃんは思い出した。そうだ、

あの時、あの大男はメガネをかけていた！

黒いメガネをかけていた！

大きなメガネだった！

これが、しんちゃんが思い出せる人生で最初のできごとである。

2　おまわりさん・その1

しんちゃんは、ある日、おかあさんと大ゲンカをした。五歳になる少し前の春の日だった。どんなふうにしてケンカになったのか、それはおぼえていない。たぶん、好きな遊びに夢中になっているときに、「そろそろ、おかたづけをしなさい」といわれたとか、そんなことからなのだろう。「田中さんのおうちへおつかいに行ってきて」といわれたのかもしれない。田中さんの家には、いやな犬がいて、しんちゃんの姿を遠くから見かけただけで、しつこく吠え立てるのだ。いやいやそれだけではない。まだ姿が見えなくても大げさに吠えるのだ。きっとしんちゃんの匂いまでおぼえているのだろう。なにしろ犬の鼻はとってもビンカンなのだ。

とにかく、その日の言い合いは、かなりはげしかった。いつもなら、おかあさんは「はいはい、じゃあ、かってにしなさい」とかいって、言い合いをおしまいにする。でも、この日は、さいごまでゆずってくれなかった。しんちゃんがさけんだ。

「そんなことをいうんなら、おまわりさんにいいつけてやる！」

しんちゃんは心の中でほくそ笑んだ。

（どうだ、まいったか。おまわりさんにはかなわないだろう！）

ところがどうだ。おかあさんは、平気(へいき)な顔(かお)でいうではないか。

「どうぞ、どうぞ。行ってきなさいよ。」

「ウソじゃないぞ。本気(ほんき)だぞ。」

「いいわよ、行ってらっしゃい。」

「ほんとにいいんだな。」

「はいはい、どうぞ、どうぞ。」

ああっ、くそっ！　それなら本当(ほんとう)におまわりさんにいいつけてやる。もう、あとにはひけない。

しんちゃんは家をとび出した。門(もん)のところで、うしろをふりかえった。おかあさんが、追いかけてくるにちがいない。

「おかあさんがわるかったよ。なかなおりしましょ。おねがい。おまわりさんだけはカンベンして。」

そういって、あやまってくれるだろう。

……しかし、おかあさんの姿はない。きっと、下駄をはくか、くつにするかで、まよっているにちがいない。それとも、ものかげから、ぼくが本当におまわりさんを呼びに行くかどうか、様子を見ているのかもしれない。それだとまずい。しんちゃんは、となりの家の、そのまたとなりの木下さんの家のあたりまで進んだ。うしろをふりかえった。……おかあさんは、あとを追いかけてはこない。

ようやく気持ちが少しおちついた。しんちゃんは考えた。

こうなったら、なにがなんでも行かねばならない。このまま帰ったら笑いものにされる。

「ほーら、ごらん。さっきのいきおいはどうしたの。」

とか、なんとかいって、ニヤニヤするだろう。そんなわけにはいかない。行かねばならない。……しかし「ちゅうざいしょ」は、そんなに近くはない。（しんちゃんの住んでいる村では、交番のことを「ちゅうざいしょ」というのだ。）五歳のしんちゃんの足では、どんなに急いでも三〇分はかかるだろう。しんちゃんは、まよった。このまま帰るわけにはいかない。しかし、ちゅうざいしょまでは遠い。さて、どうするか。

しんちゃんは頭のいい子だ。すぐに名案を思いついた。

まずこっそり家に帰る。帰るけれど、おかあさんには顔を合わせないで、そっと家のうしろにかくれる。ちゅうざいしょまで行って、帰ってくるくらいの時間がたったら出て行く。そして、おかあさんにいってやるのだ。

「かあちゃん、」

しんちゃんは、子どものころ、おかあさんのことを「かあちゃん」とよんでいたのだ。

「かあちゃん。ほんとに行ってきたぞ。」

「あら、そう。」

「おまわりさんにいいつけたからね。」

「へーっ。」

「おまわりさんが、すぐ行って、かあちゃんをしかってやるっていったんだ。」

おかあさんは、仕事の手も休めないで、「はい、はい」とかなんとかいって、まともにとりあってくれない。

「おまわりさんにしかられても、知らないよ。」

「けっこうよ。」

「ウソだと思ってるんだろ。本当なんだぞ。」

「本当だといいわね。」

しんちゃんは、本当にハラが立った。かあちゃんは、ぼくを信用してないんだ。そう思うと、少し悲しかった。たたみの部屋の押し入れの中にもぐりこんだ。ハラが立ったり、くやしいことがあったりすると、いつもそうするのだ。

「このままではすませられない。なんとかしたい。ええい、もう、ハラが立つ！」

台所から、おかあさんの声がした。

「しんちゃん。もうすぐごはんよ。いつまでもすねてないで、そろそろ出てらっしゃい。」

おかあさんは、ときどき、こんなふうにイヤミをいうのだ。すねてなんかいるもんか。出て行くわけにはいかない。次の作戦をねらないと……。

と、そのときだ。玄関で大きな声がした。

「ごめんください。」

男の人の声だ。なんとなく聞きおぼえがある……。しんちゃんは「はーい」といって玄関へ出て行った。

なんと！

なんと！　なんということだ！

おまわりさんが来た！

いつものように、警官の服を着て、こしにはピストルがさがっている！　しんちゃんは「ギャッ」と悲鳴を上げて、また押し入れにもぐりこんだ。

「はいはい」といってエプロンで手をふきながら出てきたおかあさんも、ビックリ仰天。

そして、あはははは……と笑い出した。おどろいたのは、おまわりさんのほうだ。

「……？　どうかしましたか。」

と、おまわりさん。

「いえ、あの、その、……じつは……」

と、おかあさん。

しんちゃんは、押し入れの中で布団にくるまり、小さくなってふるえながら、そんなやりとりを聞いていた。

「ぼくはウソをついた。だから来たんだ。ケイムショという所へ入れられるのかもしれない……。」

おまわりさんは、しんちゃんのおじいさんと世間話をしにやってきたのだった。

3　しんちゃんと女の子・その1

「おかしいなー。どうしたんだろ、すえちゃんは。」

しんちゃんは待っていた。だって、昨日の夕方、あんなにはっきりとやくそくしたのだ。

すえちゃんというのは、しんちゃんと年が同じ六歳の女の子で、一〇〇メートルほどはなれたところに住んでいる。このところ、毎日のようにしんちゃんの家へ遊びにくる。昨日も、花つみや、人形づくりや、おにごっこなど、いろんなことをして何時間も遊んだ。小学校へ入ってもいっしょに遊ぼうね、としっかりやくそくしている。

昨日だって、おかあさんから「ほら、もうすぐ日がくれるよ」といわれるまで遊んだ。そして、すえちゃんは「またあしたくるからね」といって別れたのだ。

こういう時、しんちゃんは、すえちゃんの家の近くまで送って行ってあげる。すえちゃんの家が近くなると、今度はすえちゃんが、しんちゃんを家の近くまで送ってくれる。こんなふうに何度も送ってあげたり、送ってもらったりする。だから、二人が別れるのにはずいぶん時間がかかる。暗くなってしまうこともある。おかあさんに「いいかげんにしなさい」と叱られることもある。それなのに、今日はいくら待っても、すえちゃんは来ない。

おかしい。どうしたんだろ……。待ちくたびれたしんちゃんは、すえちゃんの家へ行ってみることにした。すると、すえちゃんのおかあさんは、おどろいたようにいうのだ。

「おかしいね。しんちゃんのうちへ行ったんじゃないのかねえ。ふーん。どこへいったんだろ。」

ほんとにどこへ行ったんだろ？　しんちゃんは、村の中をさがしてみることにした。どこにもいない。のぶちゃんの家へ行ってみた。「知らない」といわれた。つとむ君の家でも同じだ。まゆちゃんの家にもいない。そして、とうとうみつけたのだ。

なんと、はじめ君の家の前で、はじめ君と走り回っているではないか。なんで？　どうして？　あんなにしっかりやくそくしたのに！

しんちゃんは、ぼうぜんと立ちつくした。二人は、キャッキャいいながら走り回っている。どれだけ時間がたっただろう。ようやくすえちゃんがしんちゃんの存在に気がついた。

すえちゃんは、しんちゃんに近づいてきた。そしていったのだ。

「今日は、はじめちゃんと遊ぶからね。またあした行くからね。あばー。」

えっ！　だって、きのう……。

すえちゃんは、しんちゃんのことばも聞かないで、はじめ君のところへ行ってしまった。

「あばー」というのは、この村の子どものことばでは「さようなら」という意味だ。

しんちゃんは、次の日は、朝早くから待った。すえちゃんが「またあした」といったからだ。しかし、すえちゃんは来なかった。次の日も来なかった。そのまた次の日も……。

かわいそうなしんちゃん。

こうして、しんちゃんの人生における長い失恋の連鎖が始まった。

4　おまわりさん・その2

「おー、なんときれいな花だねえ。」

やさしい声だった。そばにいたもう一人がいった。

「こんなに上品な色の花は見たことがない。なんていう名前の花だね。」

しんちゃんは、ハッとした。

思わずみがまえた。

（これだ。おばあちゃんが用心しろといったのは！）


しんちゃんは小学校の二年生になっていた。今日は、おつかいで、町まで歩いてやってきたのだ。しんちゃんの村から町まではおよそ四キロある。大人の足だと一時間くらいかかる。しんちゃんはまだ子どもだから、もう少しよけいにかかる。しんちゃんは、おつかいが好きだ。町までは遠い。しかし、おだちんがもらえる。そのおだちんを持って、町で一けんだけあるおもちゃ屋さんへ寄るのが楽しみなのだ。

さて、その町の入り口にちょっと長い橋がある。その橋をわたりきったところに交番がある。しんちゃんに声をかけた二人の大人というのは、そこのおまわりさんだ。ニコニコしている。

しんちゃんは、あの事件があってから、おまわりさんが、なんとなく苦手なのだ。べつに悪いことをしたからではない。にらまれたこともないし、ましてや追いかけられたことなど、いっぺんもない。でも、なんとなく性に合わない。できることなら、あまりかかわりあいたくない相手だ。そのうえ、今日はいつもより神経質になっている。

原因は、おばあちゃんだ。しんちゃんには、おばあちゃんが二人いる。二人のうち、若いほうのおばあちゃんが、とくにしんちゃんをかわいがってくれる。妹のみっちゃんは、そのまた年上のおばあちゃん、つまり、ひいおばあちゃんが大好きだ。しんちゃんは、「ぼくのおばあちゃん」と「みっちゃんのおばあちゃん」というふうに区別して呼んでいる。

「ぼくのおばあちゃん」は、しんちゃんのことが心配でならないらしい。しんちゃんに、いろいろなことをいってきかせる。

「今朝はさむいよ。もう一まい服を着たらどう。」

「道のはしっこを歩いてはいけませんよ。川にはまるよ。」

「お昼から雨になりそうだから、カサを忘れないで。」

「ハンカチを持ったかな。」

学校へ出かけるときに、毎日のようにこれと同じことをいうのだ。

しんちゃんは、同じことをおかあさんにいわれると、はんこうしたくなる。しかし、おばあちゃんにいわれると、そんなことはない。なんとなく、すなおにきいてしまう。なぜなのか、わからない。ただ「なんとなく」なのだ。

さて、その「ぼくのおばあちゃん」が、今日、しんちゃんが家を出る時におそろしいことをいったのだ。

「いいかい。町へ行ったら、用心するんだよ。町には、ときどき『子とり』がくるんだから。」

「おばあちゃん、コトリってなーに。スズメとかツバメとか？」

「子とりというのは、子どもを連れて行ってしまう人のことなんだよ。子どもをさらって行って、売りとばしてしまうんだ。」

「えっ。」

「はじめはね、やさしい顔でニコニコして近づいてくる。そしていうんだ。

きれいないい服を着てるね。

どこへ行くんだい。

おりこうさんだね。

おじさんが手伝ってあげよう。

いっしょに行こう……。

そんなことをいうんだよ。そして、ゆだんさせておいて、あっという間にさらっていくんだ。いいかい、こういう人には、けっして気をゆるしちゃいけないよ。」

「うん、わかった。」

「こういう人がきたら、あいてになってはいけない。『だまされないぞ』ってさけんで、大急ぎでにげるんだよ。わかったね。」

「うん、わかった。」


橋のそばの交番で、しんちゃんに声をかけてきたおまわりさんはどうだ。

しんちゃんは考えた。

（おまわりさんだからといって、気をゆるしてはいけない。ひょっとしたら、この男たちは、変装をしているのかもしれない。）

しんちゃんがためらっていると、おまわりさんたちは話をつづけた。

「このきれいな花を、どこへ持って行くの？」

「父ちゃんのところです。病院に入っているんです。」

「ほほう、それは、おりこうさんだなあ。」

「どうだろう、そのきれいな花を少しわけてくれないかな。」

「……。」

「その病院は、もうすぐだよ。どうだい、よかったら、いっしょに行ってあげようか。」

そら、きた。もうまちがいない。おばあちゃんのいったとおりだ。「子とり」だ。にげなくっちゃ。

しんちゃんは叫んだ。

「バカー！　ニセモノの警官だろ。だまされないぞっ！」

しんちゃんは、花をしっかりかかえると、父ちゃんの病院めざして一目散にかけ出したのでした。

5　おかあさんとのけんか

しんちゃんは、ときどきおかあさんとケンカする。たいていは、小さなことから言い合いがはじまる。

「しんちゃん。もう九時よ。ねるしたくをしなさい。」

「ちょっと待って。」

「ダメ。あんたは、いつもそういうんだから。」

「ちょっとだけ。」

「『ちょっと待って、ちょっと待って』って、いつまで待たせるのよ。」

「だから『ちょっと』っていってるでしょ。」

「しんちゃんの『ちょっと』は、『ちょっと』じゃないの。」

「うるさいなあ、もう。」

「うるさい、とはなんですか。うるさいとは。」

「はいはい、わかったよ。」

「わかってるんだったら、ちゃんとしなさい。」

「わかってるったら、わかってるんだ。」

「ちっとも、わかってないじゃないの。」

「ふん！」

「とにかく、いうことをききなさい。」

「大人は、すぐに、『とにかく』とか、『いうことをききなさい』っていうんだから。」

「なんですって！」

しんちゃんは、だいたいいつも、このへんで、おかあさんのいうことをきくことにしている。これ以上おこらせると、おかあさんは実力行使（じつりょくこうし）に出るかもしれないのだ。おかあさんは、日ごろはなにかと口うるさいけれど、ひどくハラを立てることはあまりない。しかし、本当におこってカンシャクをおこすとメンドウなのだ。

おかあさんは、カンシャクをおこすと、しばしば実力行使に出る。しんちゃんを暗いところへとじこめるのだ。おかあさんは、背はあまり高くない。しかし、けっこう力がつよい。しんちゃんをひっぱって行って、暗いところに押し込んでカギをかけてしまう。こうなったら、しんちゃんの力では勝てない。「やめてー！」とさけんでも、もうおそい。大きな土蔵の時もあれば、馬小屋のとなりの物置の時もある。土蔵も馬小屋のとなりの物置もどちらも本当に真っ暗だ。

土蔵というのは、ぶあついかべで囲まれた古い大きな建物だ。その家の大事なものがしまわれている。暗くて、なんにも見えない。ひんやりとしている。ときどき「チューチュー」といってネズミが走る。

馬小屋の物置というのは、しんちゃんの家で飼われているウマのエサをしまっておく部屋だ。ここも、シーンとしていて、なんにも見えない。さすがのしんちゃんでも、土蔵と馬小屋にはかなわない。こわい。だから泣いてあやまる。くやしいけれど仕方がない。

しんちゃんは、泣いてあやまる。でも、自分がわるかったなんて思っていない。力ではおかあさんにはかなわない。だから仕方がない。仕方がないけれど、やっぱりくやしい。だいたい大人というものは「大人は子どもよりえらい」と思っている。子どもは大人のいうことをきかなくてはいけない。そう信じこんでいるのだ。そのうえ、わんりょくも強い。これって、不公平じゃないか。

そもそも大人は、平気で子どもをキズつけるようなことをいう。

「子どもはだまっていなさい。」

「子どもにはまだ無理。」

「子どものくせに……」

「大人になったらわかるよ。」

「子どもなんだから、まあ、しょうがないか。」

「子どもにしては上出来だな。」

「子どもは子どもらしく。」

大人は、すぐにこういう言い方をするのだ。子ども、子どもって、バカにしないでほしい。自分たちだって、子どもだったくせに！

ええい、クソ。ハラが立つ……！

さて、それはともかく、しんちゃんは暗いところへ入れられるのだけは、なんとかしてふせぎたいと思っていた。もう少しからだが大きくなれば、力でも抵抗できるかもしれない。でも、今のところはかなわない。しんちゃんは、心のそこから、なんとかしたいと考えていた。

やがて、なんとかできる日はやってきた。

いつものように「はやくかたづけなさい」「ちょっと待って」から言い合いがはじまって、暗いところへ引きずっていかれそうになったときのことだ。しんちゃんはさけんだ。

「たすけてーっ！」

いっしゅん、おかあさんの手がゆるんだ。しんちゃんは、おかあさんが、ひるんだのを見のがさなかった。もっと大きな声でさけんだ。

「たすけてー、ころされるーっ！　人ごろしーっ！」

となりの家のおばさんに聞こえるような大きな声だ。少々の声ではとなりまではとどかない。おかあさんが、少し困ったような顔をした。チャンスだ。おかあさんは、となりのおばさんに聞こえると困るのだ。しんちゃんは、思いっきり大きな声をだした。

「おかあさーん、ころさないでーっ！　ぼく、死ぬのいやだーっ！」


おかあさんは、しんちゃんをにらみつけると、

「こんな子は、もう知りません。おかあさんの子じゃありません。」

そういって、むこうへ行ってしまった。

この日を最後に、しんちゃんが暗いところへ入れられることはなくなった。

6　遠くへ行きたい・その1

　しんちゃんは、小さいころから、遠くへ行くのが大好きだ。わずか六歳の時でも、たった一人で、となりの町の、そのまた向こうのおばあちゃんの家へ行くことだってできた。おかあさんのおかあさんの家だ。少なくとも三〇キロははなれている。まず、電車の駅まで五キロの道を歩く。それから電車に乗って、となりの町まで三〇分かかる。駅では、もちろん自分でキップを買う。

　しんちゃんは、たいていは運転手のうしろに立って、前のけしきを見る。電車は、二本のレールの上をすべるように進んでいく。運転手は、ときどき「しんごーよーし」とか、「ぜんぽうかくにーん」とかいいながら、右手と左手で機械をぐるぐる回したり、横へひねったりしながら電車をうごかす。しんちゃんも、小さな声で「しんごーよーし」「ぜんぽーかくにーん」といって、運転手のマネをする。大きな声でいうのは、ちょっとはずかしい。自分の力で電車が動いているような気がして、ドキドキする。

　電車は、たいてい一りょうか二りょうしかない。いちばんうしろに車掌さんが乗っている。しんちゃんの子どものころ、電車のドアは今とはちがっていた。自動ではない。手でしめるのだ。車掌さんは、「発車しまーす。お急ぎくださーい」といいながら、ドアをつぎつぎと閉めていく。でも、全部のドアを閉め終わらないうちにピーッと笛をふく。電車はプーッと合図を鳴らして、しずかに動き出す。車掌さんは、まだ乗っていない。ドアを閉め終わっていないのだ。電車がだいぶスピードが出てきたころに、車掌さんは最後のドアからさっと飛び乗る。そして右手をあげて駅員さんと「けいれい」をかわす。なんてカッコいいのだろう。

　しんちゃんは、電車に乗るたびに考える。大きくなったら、どっちにしよう。電車の運転手になろうか。それとも車掌さんになろうか。六歳のしんちゃんにとって、これはとても大きななやみなのだ。

　さて、電車に三〇分ほど乗ってから、つぎはバスだ。すぐにキップを買って乗りこむ。

急がないといけない。いちばん前の運転手の横がしんちゃんのお気に入りの席なのだ。車掌さんが「オラーイ」という。「オーライ」ではない。「オラーイ」だ。すると運転手は、左手で床から出ている長い棒を動かして、それから足を動かす。ハンドルを回し始める。しんちゃんは、その様子を横目で見ながら、運転手のするとおりに手と足を動かす。たまらなくドキドキする。

　でも、いつも運転手のとなりがあいているとはかぎらない。すでにだれかがすわっていることもある。こういう時、しんちゃんはメチャクチャ不幸だ。大事な席にすわっているお客さんをにらみつける。それから、うしろの方へ行ってすわる。しんちゃんの席を横取りした客を呪いながら窓の外を見ているしかない。しんちゃんは、すっかりおちこんで、「この世は終わりだー」と心の中でさけぶ。

　バスは、いなかの田んぼの中の広い道を走っていく。三〇分ほど走って「かみしがらみ」という村のお寺さんの前でおりる。ここからはまた歩きだ。少くとも二キロはあるだろう。まだ年の若いおばさんが自転車でむかえに来てくれるときもある。しかし、たいていは一人だ。おばあちゃんの家につくと、「まあまあ、遠いところをよく来たね。つかれただろ」といって、お茶とおかしを出してくれる。最高のおばあちゃんだ。

そんなときに、たまたま村の人が、なにかの用事でおばあちゃんの家へ来ることがある。すると、おばあちゃんの「まごじまん」がはじまる。

「あのね、おのださん、この子はね、わたしの娘の清子の子なんだけど、たった一人でここまで来たんですよ。」

「えーっ。清子さんのとつぎ先からなら一〇里（四〇キロ）はあるでしょ。すごいねえ。」

「そうですとも、歩いて、電車に乗って、バスに乗って、また歩いて……。」

「へえーっ。とても小学校の一年生とは思えませんねえ。」

「そうでしょ？　それでね、おのださん、それがね……。」

おばあちゃんのじまん話は、どんどんエスカレートする。しんちゃんは、てれくさくなって、おかしを全部持ってその場をはなれる。

とまあ、こんなわけでしんちゃんは、小さい時から、とにかく遠くへ行きたい子なのだ。四歳の時には、おじいちゃんと町のお祭に行って、けいさつのお世話になった。おじいちゃんのスキを見て、かってに大きな川の橋をわたって向こうまで行ってしまった。その大きな川の向こうをときどき電車が走るのが見えたからだ。

ある時は、家の前の大きな川はどこから来るのだろう。よし、見に行こう。というわけで、どんどん歩いた。しかし、どこまでいっても、川はつづいている。暗くなりかけたのに気がついて、大急ぎで帰り始めた。でも、家についた時にはすっかり夜になっていた。家の人がみんな心配して、ごはんを食べないで待っていてくれた。

こういうときはおじいちゃんが、いつもきまって、あのおそろしい話をする。

「気をつけんといかんぞ、しんちゃん。木下さんの家のうしろの道があぶない。子どもが暗くなってからそこを通ると、テンジクからツルベが下りてきて、子どもを連れて行ってしまう。」

これは何べん聞かされてもこわい。

しんちゃんが五年生のある日のことだ。学校の担任のマスダ先生が、終わりの会の時にいった。

「放課後に牛が谷の村まで工作用の木をもらいに行く。いっしょに行きたい子はいますか。」

何人かの男の子が手をあげた。もちろん、しんちゃんは、だれよりも先に手をあげる。牛が谷というのは、歩いて三〇分ほどの山の村だ。天気もいいし、ひさしぶりの遠出だ。

「急ぐんじゃないぞ。みんなでかたまって歩くんだ。」

先生はそんなことをいうけれど、これがゆっくりしていられますか。しんちゃんと、その仲間のせいちゃん、みつお君、そしてタクオ君は、どんどん歩いた。

「こらーっ。急ぐなー。そのへんで待ってなさい！」

うしろの方でマスダ先生がさけんだ。待っていろだって？　なーに、こういうときは聞こえなかったことにするにかぎる。しんちゃんたち四人組はどんどん先を急いだ。やがて牛が谷の村についた。

しかし、牛が谷にはついたけれど、材木をもらうのはどの家だろう？　この家かな、あの家かな、と見ながら歩いているうちに村はずれにきてしまった。小さな村なのだ。そこから先に家は見えない。でも、きっと、もう少し行けばまだ家があるにちがいない。しんちゃんたちはまた歩き出した。だいぶ歩いたところに、一けんの古い家があった。しかし、この家には人が住んでいないようだ。

さて、どうする？　ひきかえすか、それとも進むか。

「もう少し行ってみよう。」

しんちゃんの声に、ほかの三人もうなずく。しんちゃんは、そのとき気がついていたのだ。たしか、この道は前に一度とおったことがある。去年の春のことだ。おかあさんといっしょにワラビをとりながら、ぎゃくに下ってきた道だ。このまま進めば、ほそい山道をのぼって、それから山の反対側の杉山という村へおりられるはず……。

ほかの三人もすぐにしんちゃんに賛成した。しんちゃんは、この三人には信用があるのだ。こうして四人は山をこえ、杉山の村へくだって、それから景色のいい谷間の道をとおり、無事に学校へ帰り着いた。

しかし、しんちゃんたちは、かくごしていた。マスダ先生に、こっぴどくしかられるだろう。先生は、ふだんはとてもやさしい。でも、怒ったらメチャクチャにこわい。もう暗くなりはじめている。もうすぐ七時だろう。しかられても仕方がない。でも、まあ、今日は本当にいい一日だったなあ！。

マスダ先生は学校の玄関で待っていた。さあ、カミナリが落ちるぞ。しんちゃんたちは、かくごを決めた。しんみょうな顔で先生の前に立った。先生は四人をじろっと見た。でも、何もいわない。悪い予感がした。これはダメだ。ただではすまない。親が呼びつけられるかもしれない。まさか、たたかれはしないだろう。しかし、それもわからない。マスダ先生は、ふだんはやさしい。だけど怒ったらメチャクチャにこわいのだ。

ところが先生は何もいわない。先生、なんとかいってください。こんな沈黙にはたえられません。

恐怖の数十秒が過ぎた。とつぜん先生は、ほんのいっしゅん、かるくニヤッとした。四人の体がこわばった。

もうだめだ！

しかし、マスダ先生はひとことイヤミをいったのだ。


「アホとけむりは、どこまでものぼっていく！」


これでおしまいだ。

しんちゃんは、すごくしあわせだった。本当にいい日だったなあ、今日は！

7　がまんの限界(げんかい)

あと二〇〇メートル！　がんばれ。もうすぐ村の入り口だ。がんばるぞ！　こんなことで負(ま)けてたまるか。

しんちゃんは必死(ひっし)でがんばる。がんばってがんばって、がんばりぬく。あと一五〇メートル！　あーっ、もうダメ！　でも、あと一〇〇メートル。もうちょっとで村の入り口だ。村までがんばれば、なんとかなる。しんちゃんは、顔(かお)を真(ま)っ赤(か)にしてがんばる。体じゅうがあつい。

しんちゃんは、とうとう村の入り口の西出(にしで)さんの家の前までがんばりぬいた。何(なに)をがんばっているかって？　ウンチを必死でこらえているのだ。こんなことなら学校を出る前にトイレへ行っておけばよかったのだ。でも、もうおそい。

しんちゃんは、そろそろと西出さんの家の玄関(げんかん)の方へすすんだ。なんといったらいいだろう。「すみません、トイレへ行かせてくださいませんか」といおうか、「アッパが出そうです」といおうか。アッパというのは、しんちゃんの田舎のことばでウンチのことだ。少しまよった。するとその時、ふと気がついた。

「あれっ？　少しおさまったぞ。ひょっとしたら、自分の家まで大丈夫かもしれない。西出さんの家でトイレをかしてくださいなんて、やっぱり恥ずかしい。もうちょっとがんばろう！」

しんちゃんはがんばった。そろそろと歩き出した。……しかし、がまんの限界がやってきた。一〇〇メートルほど行ったところの前野さんの家の横で、とうとうウンチが、すごいいきおいでパンツの中にとび出したのだ。もう歩けない。どうしていいかわからない。道をとおる人はだれもいない。たとえだれかがとおったとしても、こんなことは話せない。恥ずかしい。こんなカッコ悪いところを人に見られたら……！　でも、どうしよう。自分の家まではまだ二〇〇メートルくらいはある。このままでは歩けない。どうしよう！

しんちゃんは、その場に立ちつくした。

気のとおくなるような時間が過ぎた。ようやく向こうの曲がり角から、おばあさんがひとり歩いてきた。おばあさんは、しんちゃんに気がつくと、ゆっくり近づいてきた。なんと、となりの家のマツエばあちゃんではないか。

「あらー？　しんちゃんじゃないのかね。なんで、そんなとこに立ってるんだね。」

なんで、っていわれたって、どう答えたらいいかわからない。

「どうしたんかね。早くかえらんと、かあちゃんが、しんぱいして待ってるよ。」

しんちゃんは、勇気をふりしぼって、やっと答えた。

「あのー、……アッパ。」

「えっ？　なに？」

「アッパ。」

マツエばあちゃんは、ニコッとした。

「ははあ、そうかそうか。じゃあね、しんちゃんのかあちゃんに知らせるからね。そのまま、そこで待ってるんだよ。」

かあちゃんは、やってきた。あかちゃんをおんぶする時のうわっぱりと、おぶいひもを持っている。そしてニコッとわらうと、だまってしんちゃんをおんぶした。おどろいたことに、ひとことも叱らない。イヤミもいわない。しんちゃんは、かあちゃんにおんぶされながら、なんだか少ししあわせな気分にひたっていた。

かあちゃんは、家につくと、しんちゃんをふろ場に立たせたまま、台所でお湯をわかしはじめた。しんちゃんはびくびくしていた。なんていわれるだろう。

「まあ、きたないわね」とか、

「早めにトイレへ行けば、こんなことにはならないのに」とか、

「ほんとにダメな子ねえ」とか、

「あんなところでウンチなんて、かあさんは恥ずかしい」とか、

「こんなこと、二度とするんじゃないよ」とか、

まあ、これくらいのことは、きっといわれるだろうなあ。いやだなあ。

かあちゃんは、お湯を持ってくると、だまってしんちゃんのズボンとパンツを脱がした。ウンチを上手にとりのぞいた。それからお湯でしんちゃんのお尻をていねいにふいてくれた。

でも、なんにもいわない。お湯はちょうどいい温度で、とても気持ちがよい。すごくしあわせな気分だ。かあちゃんは、お尻をふき終わると、あたらしいパンツとズボンを、やさしくはかせてくれた。

「はい、おわり。」

？？？　えっ、おわり？

ぼくのこと、おこらないの？

かあちゃんは、ほんとになんにもいわないで、よごれたズボンとパンツをもって、あっちへ行ってしまった。

しんちゃんが二年生の時の冬のことであった。

8　弁論大会

しんちゃんは、そろそろと歩きはじめた。五段ほどの階段をゆっくりのぼる。上はステージだ。どの学校にもあるあの体育館のはしっこの一段高いところだ。ドキドキする。まっすぐに前を見られない。うつむいたまま大きな机の前に立つ。それから、ゆっくりとお辞儀をする。教えられたとおり、三つ数えてから顔を上げる。

顔をあげて……！！！

とつぜん、しんちゃんはものすごい恐怖におそわれた。気を失いそうになった。なんと、体育館いっぱいの何百という目がこっちをにらみつけているではないか。この学校の小学生と中学生の全員が、しんちゃんをにらんでいるのだ。それだけではない。学校じゅうの先生が縦一列に並んですわってこっちを見上げている。そのいちばん前には、校長先生が足をひろげ、むずかしい顔をしてふんぞり返っている。このチョビひげの校長先生は、みんなからこわがられている。若い女の先生が叱られて泣いているのを見たこともある。

「ああ、えらいことになった！」

でも、もうおそい。しんちゃんは覚悟を決めて、教えられたとおりに話をはじめた。

「ぼくは、（そこで大きく息を吸って）〇〇〇県△△△郡……えー……◇◇◇村の……えー……あの……◇◇◇学校の……」

しんちゃんは、先生たちの列を見た。担任のたまき先生が心配そうに、ときどきうなずきながら見てくれている。すこし勇気が出た。

「◇◇◇小学校から……きました。えーと……ぼくは……」

しかし、あとがなかなかつづかない。なんべんも立往生した。そのたびに、たまき先生が「大丈夫よ、しんちゃん」というような目をしてサインを送ってくれる。でも、そのサインの意味がわからない。しんちゃんは、必死で原稿を思い出しながら、ヨロヨロ、ボソボソと話をつづけた。とつぜん目の前がぐるぐるまわりはじめた。しんちゃんは、校長先生用の大きな机にしがみついて、必死でがんばった。

なぜこういうことになったか。今、しんちゃんは弁論大会というものに出るためのリハーサル、つまり練習をしている。明日の午後にとなり町の大野で開かれる大きな大会に出るのだ。いやいや、練習しているのではない。させられているのだ。わるいのは校長先生だ。心配だからみんなの前で一度やらせてみなさいと、たまき先生に命令したのだ。

ようやく話がおしまいまできた。しんちゃんは、ちょこっとおじぎをすると脱兎のごとく階段へ走った。階段を降りる時にころびそうになった。みんなが、あはははー……と声をあげた。体育館じゅうに大きな笑い声がこだました。

その日の午後、授業が終わったあと、しんちゃんは、職員室へ向かった。たまき先生に呼ばれたのだ。いつものようにきちんとお辞儀をして中へ入ると……？？？？？……なんだか様子がおかしい。たまき先生がいつもの机のところにいない。どの先生もだまりこくったままだ。笑顔の人など一人もいない。ぐるっと見まわすと、いたいた、たまき先生が……。でも……！

なんということだ。たまき先生が校長先生に叱られているではないか。しんちゃんにはよくわからない。でも、なぜか、しんちゃんのことで叱られているらしい。

「たまき先生。いったいどういうことですか。あんなことで、あしたはどうするつもりですか。あんな者を大会に出したら、学校の恥になるではありませんか。」

しんちゃんは知った。「あんな者」というのは自分のことなのだ。

たまき先生、かわいそう。たまき先生をいじめるなんて、なんて悪い校長先生なんだ。ゆるせない。チョビひげなんか生やしていたって、ちっともこわくないぞ。よーし！しんちゃんの胸の中で何かがムラムラとさわぎはじめた。もちろんどうすることもできない。どうすることもできないけれど、たまき先生がかわいそう……。

その夜、しんちゃんは、次の日の話の原稿を読みなおした。なんべんもなんべんも。

次の日がきた。空はいちめんの青空。雲ひとつない。今日はなんだかいい日になりそうだ。いっちょうらの服に着替えて学校へ急いだ。たまき先生はもう待っていて、しんちゃんを見つけるとニコニコと手をふってくれた。

しんちゃんはおどろいた。びっくりした。

『たまき先生、なんてきれいなんだ！　すごく若くなったみたい！』

電車に乗ってとなりの町へ向かった。しんちゃんは、いつものように運転席のすぐ後ろに立って、ずっと運転手の運転のマネをした。そのうちに気がついた。

『今日の運転手は、なんて上手なんだ。これまで見たどの運転手よりうまいぞ。ベテランだぁ！』


弁論大会の会場は、バカに大きな建物だった。しかし部屋は意外にもバカでかくはなかった。しんちゃんの学校はいなかの学校なので、小学生と中学生がいっしょだ。だから昨日は合わせて五〇〇人近くがこちらをにらみつけていた。でも、今日は大会に出る子どもが二〇人ほど、そして聞きにきた人やお世話をする人たちを合わせても全部で一〇〇人ほどだ。人をにらみつけるような者はいない。昨日とは大ちがいだ。

しんちゃんの番がきた。どうしたわけか、今日は目の前がぐるぐるまわらない。たまき先生がニコニコしながら何度もうなずいてくれる。もちろん、チョビひげの校長先生はいない。しんちゃんは、なんだかうれしくなった。自分が大きくなったような、そして世界じゅうが自分の味方だという気がした。原稿のとおりに学校の勉強のこと、友だちのこと、ふだんの遊びのこと、そして、みんなで和紙でつくった大きなこいのぼりをもって学校の裏山へ登ったことなどを話した。そのあと原稿にはなかったけれど、しんちゃんは最後に大きな声で付け足した。

「ぼくは学校がだいすき。たまき先生もだいすきでーす。」

全部の小学生と中学生の出番が終わると、たまき先生は何もいわないでしんちゃんをぎゅっと抱きしめてくれた。しんちゃんは、たまき先生の目に涙が浮かんでいるのを見逃さなかった。

「しんちゃん。ほら、呼ばれてますよ。早く前へ出なさい。」

たまき先生がしんちゃんをせき立てた。小学校と中学校の全員の話が終わったあと、えらい人の話が三つほどつづいて、それから名前を呼ばれた子が前へ出て行って何かをもらうのだ。しんちゃんがおそるおそる前に出ていくと、いちばん偉そうな人が大きな書類を読み上げてから、きれいな袋に入った何かをくれた。

たまき先生がいった。

「しんちゃん。よかった。よかった。一等賞ですよ。」

たまき先生は、しんちゃんをぎゅっと抱きしめてくれた。また涙が光っていた。

ご褒美の袋にはりっぱなすずり箱が入っていた。黒くピカピカ光っていて、金色の模様がはりつけられている。とってもきれいだ。ふたを開けてみると、

「児童憲章制定記念小中学生弁論大会」

と金文字で書いてある。もちろん、しんちゃんには何のことかわからない。しんちゃんは、大人になるまでは絶対にこれを使わないようにしようと決めた。

これは、しんちゃんが小学校二年生の時のことだ。

チョビひげの校長先生は大喜びで、その次の日にまた前と同じように全校の小学生と中学生を集め、おおげさにしんちゃんをほめたたえ、もう一度同じ話をするように命令したのだ。もちろん、しんちゃんはりっぱに役目を果たした。

たまき先生もうれしそうだった。たまき先生は何度もハンカチを目にあてていた。

9　犬がかわいそう

「ぜったいにゆるさない、ゆるすもんか！」

「だけど、仕方なかったんじゃないの？」

「そんなバカな。犬が死んでしまうよ。死んでもいいの？」

「いいわけないけれど……。」

「勝手すぎるんだ、大人は！」

「だって……。」

「だってもクソもあるか。見殺しにするなんて！」

「だけどねえ……。あの人たちだって、うんと考えたんだと思うよ。」

「うんと考えたら、こんなこと、するワケがない。はくじょうだ。情け知らずだ！」

「ほんとに、かわいそうだけどねえ。きっと、仕方がなかったんだよ。理由がないのに、そんなことをするわけがないと思うけど……。

「ウソだ。かあさんは、ちっともかわいそうだなんて思ってないくせに！」

しんちゃんは怒った。はらわたが、にえくりかえった。

何を怒っているのか。それは、さっき聞いたばかりのラジオのニュースだ。なんと、南極観測隊が、ソリを引っぱる犬たちを基地に置き去りにしたというではないか。何頭もの犬が、帰りの船に乗せてもらえなかったのだ。どんな理由があったか知らないが、こんなことがゆるされるわけがない。

その夜、しんちゃんは布団の中で泣いた。……そんな遠い遠い地の果ての、ムチャクチャに寒いところに置いてけぼりだなんて……。犬たちは、どんな気持ちで死んでいくのだろう。大人は、みんなはくじょうだ！　かあさんもはくじょうなんだ。みんなはくじょうのかたまりだぁ。

それからしばらくのあいだ、おかあさんを見るしんちゃんの目はきびしかった。世界が変わってしまったような気がした。でも、そんな自分の気持ちは、だれにもいえなかった。

それから半年以上が過ぎた。

ある日、しんちゃんが学校から帰ると、おかあさんが走ってきた。しんちゃんの帰りを今か今かと待っていたらしい。

「しんちゃん、しんちゃん、よかった、よかった！」

「えっ？　何が……？」

「あのね、あのね、生きていたんだよ。」

「え？　だれが？」

「犬だよ、犬！」

「イヌって？」

「ほら、あの犬よ。南極の犬よ。生きてたんだって。今年の探検隊が着いたら、タロウとジロウの二匹が生きのこっていて、ワンワン吠えて走ってきたんだって。よかった、よかった。」

おかあさんは一気にそういうと、いきなりしんちゃんをぎゅっと抱きしめた。やがてその手をゆるめると、おかあさんは、ひとことだけいった。

「よかったね、ほんとに。」

しんちゃんは、おかあさんの目に涙がにじんでいるのを見た。

そうなんだ。おかあさんも、しんちゃんと同じくらい、悲しくて、くやしくて、ハラを立てていたんだ、何か月も前のあの時。

しんちゃんの目からも涙がこぼれた。

しんちゃんは、その夜、布団の中でまた泣いた。

10　しんちゃんのいたずら・その1　落とし穴

しんちゃんは、妹のみっちゃんと、よくケンカをする。生意気なのだ、みっちゃんは。小さな卓上ピアノがひけるようになった時だってそうだ。しんちゃんより先にじょうずにひけるようになった。すると、わざわざ、しんちゃんのそばへきて「ゆうやけこやけ」とか「はとぽっぽ」とかをひいてみせるのだ。

しんちゃんは、くやしい。ピアノではみっちゃんには勝てない。みっちゃんは、新しい曲がひけるようになると、かならず、しんちゃんのそばへきて、とくいげにひいてみせる。しんちゃんはくやしい。くやしいけれど、しかたがないから、だまってその場をはなれる。みっちゃんのほうは、じまんしたいわけではないかもしれない。おにいちゃんから「じょうずだね」とかなんとかいってほしいだけなのだろう。でも、しんちゃんは、そんなみっちゃんを無視して知らん顔をする。

ある日のことだ。みっちゃんは、いつもより長い曲がひけるようになった。さっそくしんちゃんのところへやってきた。

（わたし、じょうずでしょ。なにかひとことといってよ、おにいちゃん。）

みっちゃんは、ひとことだけでもいいから「じょうずだね」といってほしい。しんちゃんは、いつものように、完全に無視した。あせったみっちゃんが、とうとう「いってはならないこと」を口にしてしまった。

「おにいちゃんは、オンチだからしかたがないよね。」

「オンチって、なんだい。」

「音楽のことがぜんぜんムリな人のことだよ。」

「…………」

「おかあちゃんがいっていた。『おにいちゃんはオンチだから、ピアノはムリ』って。」

「…………」

ガツーン！

みっちゃんが、大声をあげて泣く。そして、しんちゃんは、おかあさんから思いっきりしかられてしまった。

まあ、そんなことはあったけれど、しんちゃんは、ふだんはいじわるな子ではない。でも、いたずらはけっこう多い。小さないたずらとはかぎらない。ときには、でっかいことや手のこんだこともする。いたずら大好き人間なのだ、しんちゃんは。

雪がたくさんふった日のことだ。ふみかためられた雪道に落とし穴をつくった。まず、その雪の上をもう一度ねんいりに長靴でふんでかためる。つぎは、スコップをつかって、雪の上に三〇センチほどの円をかく。円の深さは一〇センチくらいだ。そのまーるく円になった雪をそーっと持ち上げる。それを横においてから、穴をもっと深くほり下げる。できれば三〇センチか四〇センチくらいの深さはほしい。穴が深くなったら、さっきのまーるい雪をそーっと穴の上にかぶせる。そして、しんちょうにそのまわりを手でなでつける。こうすると、ふたは、だれの目にもわからなくなる。これで完成だ。物かげにかくれて、だれかがくるのを待つ。できることなら大人がきてくれるとうれしい。

この日、しんちゃんの落とし穴のギセイになったのは、おばあちゃんだ。なにやら荷物をわきにかかえてやってきたおばあちゃんが、それはそれは見事にはまってくれたのだ。おばあちゃんがさけぶ。

「だれっ？　こんなことしたのは！　足でも折ったらどうしてくれるのッ！」

かげで見ていたしんちゃんは、それはもう、うれしくてしかたがない。ひっしでこらえたけれど、とうとう大声でわらってしまった。もちろん、思いっきりしかられた。でも、しんちゃんは幸福だった。この夜、ふとんに入ったしんちゃんは、しあわせなねむりについたのだった。

「ほんとうに、いい一日だったなあ、きょうは！」

11 しんちゃんのいたずら・その2 バス転覆大作戦

しんちゃんは、いたずらが大好き。これまででいちばん大きないたずらは何か。それは、バス転覆大作戦なのだ。

しんちゃんの学校はいなかの学校だ。まわりは田んぼや山ばかり。大きな町のようにたくさんの家はない。ところどころにいくつかの村がある。学校は、その中ではいちばん大きな村のはずれにある。そして、この学校の前の道を、一日に二回だけバスがとおる。五キロほどはなれた町からやってきて、学校の前をとおって、となりの村まで行く。このバスは一〇分ほどすると、そのとなりの村からもどってくる。お客さんは、そんなに多くはない。乗っているのが運転手と車しょうさんだけの時だってあるくらいだ。

学校の前を小さな川が流れている。はばは二メートルくらいだ。この川に小さな橋がかかっている。橋といっても、りっぱなものではない。太い丸太をならべて、その上に土をのせて固めただけの橋だ。もちろんランカンなどはついていない。そのころのいなかの道は、まだホソウがされていなかった。土道だ。だからところどころに穴ぼこや水たまりもできている。そういう道をいなかのバスはガタゴト走るのだ。

さて、ある日のこと。しんちゃんは、いつものように、はじめ君といっしょに学校を出た。つりに行こうか、ビー玉をしようか、それともお宮さんでカンケリにしようかなどとそうだんしながら、この橋まできた時だ。

二人の足が止まった。

「…………？」

「…………？」

二人は気がついたのだ。きのうの雨で、この橋にできていた穴ぼこが、なんだか大きくなっているように見える。二人はいそいで水たまりの水をぜんぶ手ですくってみた。たしかに穴は大きくなっていた。しんちゃんとはじめ君は顔を見合わせた。

「……？」

「………？」

「…………！　……？」

「………！」

二人は、ニヤッと笑った。なんといっても二人は大の仲良しだ。これだけで気持ちが通じる。すぐに相手の思っていることが感じとれるのだ。

そうだ！　穴を大きくするんだ。

バスのタイヤがはまって、動けないようにしよう。

いやいや、バスがひっくりかえるまでがんばろう！

ようし、それできまりだー！

二人は、顔を見合わせてまたニヤッと笑った。丈夫そうなぼうきれをさがした。せっせと穴を大きくするのだ。もちろん、だれかが近くにきそうになると、ぼうを下において、知らんふりをする。その人が行ってしまうと、また仕事にとりかかる。五時ごろ、いつものようにバスがやってきた。二人はしげみのうしろにかくれて様子を見る。

ざんねん。バスは平気で通りすぎてしまった。バスが行ってしまうとまた仕事だ。でも、

ざんねん。帰りのバスも平気で走って行ってしまった。

二人はあきらめなかった。その次の日も、そのまた次の日も、人目を気にしながらせっせと仕事にはげんだのだ。穴は、少しずつひろく、そして深くなっていった。その週の最後の日、二人はとうとう手ごたえを感じた。この日はじめて、バスは穴ぼこの手前でスピードを落としたのだ。それから穴ぼこをさけるようにして通りすぎたではないか。

やったぜ、もう少しだ！

しんちゃんとはじめ君は、その次の週もまた、見つからないように気をつけながら、せっせと仕事にせいを出した。バスは、毎回スピードを落とし、穴ぼこをさけて通るようになった。それだけではない。次の日には、穴の前でいったん止まって、それからユルユルと穴をさけて通ったのだ。

その次の日には、穴の底に小さな穴があいて、なんと、下の川の水が見えるまでになったではないか。あと、ひといきだ。バスは穴にはまって動けなくなるか、それとも

……！

そうだ、バスがひっくり返るにちがいない。しんちゃんと、はじめ君はおどりたいような気分だった。あと一息、あと一息！

ウッシッシ……

イヒヒヒ……

二人のむねは大きくふくらんだ。

しかし、ざんねん。その日は一学期の最後の日だった。二人は、ちかいあった。もちろん、ことばには出さない。ことばに出さなくったって、気持ちはぴったり通じる。二人は親友なのだ。

『ざんねん、夏休みになってしまった。ようし、二学期になったら、きっとバスを転覆させてやるぞ。ぜったいに！』

しんちゃんとはじめ君にとっては長い長い夏休みがやっと終わった。二学期の最初の日、二人は走って学校へ急いだ。そして…………。

…………?

……?

……!

…………!!!

ああっ、穴ぼこがない!

なんということだ。せっかくの穴がなくなっている。それどころではない。橋が新しくなっているではないか。それも、コンクリートの橋なのだ。

二人はヘナヘナとその場にすわりこんでしまった。せっかくの苦労が水のアワになってしまったのだ。

こうして、しんちゃんとはじめ君の壮大な夢はくだけちった。

その夜、しんちゃんはふとんに入って泣いた。泣いて泣いて泣きじゃくった。
この世はもう終わりだー！
大人なんか、大きらいだー！

12　しんちゃんと女の子・その2

しんちゃんは「そろばん（珠算）」のことで、とっても悲しい思いをしたことがある。

しんちゃんの小学校では、そろばんでがんばる子のグループがあって、毎日のように練習していた。しんちゃんも九級からだんだん進んで、四級か五級になったころ、学校として市内の「小学生珠算大会」というものに出ることになった。しんちゃんの学校からはAとBの二チームが参加を申し込んだ。しんちゃんはいちばんよくできるAチームの三人の一人に選ばれた。いっしょうけんめい練習にはげんだ。

さて当日、ドキドキしながら結果の発表を待っていると、なんとみごとに二位に入賞。すごく嬉しかった。

思わずさけんだ。

「やったー！　ばんざーい！」

同じチームの子と手をとりあってよろこんだ。毎日の練習がむくわれたのだ。このつぎは優勝めざしてがんばるぞ………!

ところが、しんちゃんの嬉しさは長くは続かなかった。喜んでいる最中に担当の先生に呼ばれた。

「君はAチームの三人の一人だったんだけどね、このところ君の成績が今ひとつだったので、試合の前の選手登録で、君をBチームの方へ入れ替えておいた。学校のためだ。すまんが、こらえてくれ。」

「……、……」

「どうかね、わかってくれるかい?」

「…………」

「わかってくれるよね。」

「…………」

こんな時、どう答えたらいいのだろう。

えーっ！　それはないよ。いくらなんでも！　あとになって、そんなー！

そう叫びたかった。でも、ひとこともいえなかった。

その先生は、前から好きな先生だった。だから、がまんした。

しばらくはがまんした。しかし、ある日、みんなが練習している部屋にどうしても入れなくなった。先生が「どうしたんだ。なぜ練習にこないんだ」と何度も何度も聞いてくる。

しかし体は動いてくれない。動こうと思っても体がいうことをきいてくれない。

「ほんとうにごうじょうな子だね、きみは。」

先生はそういいのこして行ってしまった。何日かたって、しんちゃんの体はそろばんそのものを受けつけなくなった。この時のしんちゃんの心の傷は、あとあとまで続いた。

この問題は「そろばん」だけでは終わらなかった。もう一つの問題が残ったのだ。なかよしの「まこちゃん」だ。まこちゃんは、同じクラスの女の子で、住んでいる村も同じだ。そのうえ、しんちゃんの家とは遠い親戚にあたる。小さいころには、よくいっしょに外で遊んだ。ままごとにさそわれると、いつもきまって、しんちゃんがお父さんで、まこちゃんがお母さんだった。学校ごっこをすれば、しんちゃんが男先生でまこちゃんが女先生だ。冬にはおたがいの家でトランプや花札を楽しんだりもした。

それだけではない。六年生になると、二人で隣の町の英語教室に通うようになった。自転車でつれだって出かける。もっとも、その姿をほかの子に見られるとまずい。「やーい、やーい」なんて冷やかされる。だから、途中でだれかの姿が見えると、三〇メートルほどはなれて自転車を走らせる。

しんちゃんは、まこちゃんが大好きだった。

しかし、まこちゃんはAチームのホープだ。そろばんをすごく、がんばっている。級も上がっていく。しんちゃんは、あとに取りのこされてしまった。先生は、大会で選手を入れ替えたことなど、だれにもいわない。しんちゃんは、だれにもいえない。まこちゃんには、なおさらいえない。「AチームからBチームにうつされた」なんて、そんなことは口が裂けてもいえない。しんちゃんは、だんだん気まずくなって、まこちゃんと話ができなくなってしまった。まこちゃんだって、きっとヘンに思っただろう。やがて、二人はことばを交わすこともほとんどなくなった。しんちゃんもまこちゃんも英語教室にも行かなくなってしまった。

しんちゃんの小学生時代で、これほど悲しかったことはほかにはない。

13　しんちゃんの密漁――遊びがいっぱい

レンゲソウ

しんちゃんは田舎の村に住んでいる。村といってもそんなに大きくはない。家の数は三〇軒ほどだ。まわりはぜんぶ田んぼと畑。二〇〇メートルはなれたところには高さが五〇〇メートルほどの山がある。富士山の形をした美しい山だ。村の北のはしにはお宮さんがある。むずかしくいうと鎮守の森という。しんちゃんの家は、その村のいちばん南のはしっこで、家から一〇〇メートルほどのところには、幅が三〇メートルほどのけっこう大きな川が流れている。まあ、いってみれば、日本の代表的な田園地帯だ。

　そんなわけで、しんちゃんにとっては、遊び場がいっぱいの大変うれしい環境なのだ。

春は田んぼいっぱいにレンゲソウが咲く。そのレンゲソウの布団にあおむけに寝ころんで、青い空を見上げると、ひんやりとしてとっても気持ちがいい。

ときにはその上で友だちとすもうをとる。しんちゃんは、すもうがけっこう強い。なにしろ尊敬する横綱栃錦にならって、上手出し投げという技をつかえば、相手をみごとにレンゲ畑にころがすことができる。

とはいっても、寝ころんだりすもうをとったりしているのを大人に見つかってはいけない。見つかると大変だ。ひどく怒られる。レンゲソウは、田んぼの土をいい土に変えるための特別の草なのだ。土がよくなるとイネや野菜がりっぱに育つらしい。

はらペコになると……

まわりに田んぼや畑が多いのは、とってもありがたい。子どもたちは、外で思いっきり遊ぶとおなかがすく。はらペコになる。そんな時どうするか。自分の家の畑へ行く。よそのうちの畑へ忍び込むことはめったにない。畑には、しんちゃんたちのおなかを満たしてくれる野菜が待っている。キュウリ、トマト、ウリなどの農作物がふんだんにある。それを失敬するのだ。ナスだって、とれたてのは甘くておいしい。サツマイモなどは、川で洗ってまるごとかじる。ニンジンは甘くていい香りがする。ダイコンは、細くて短いのがよろしい。太くて長いのは、上のほうの緑がかったところが食べやすい。白いところはおすすめできない。からいのだ。

しんちゃんの家の屋敷には柿の木が七本もある。そのうちの三本は甘柿だ。家は二階建てだが半分ほどは平屋になっている。秋になるとおなかがすいた時、しんちゃんは台所から包丁を持ち出す。そして二階へ上がる。二階の窓を開け、そこから平屋になっている屋根にのぼる。その屋根のはしの方まで用心して進んでいくと、ちょうどそこに甘柿の枝が伸びてきている。その枝には、いくつもの柿の実がしんちゃんを待っているのだ。

しんちゃんは、そのうちの一番おいしそうなのをもぎ取る。それから持ち出した包丁でていねいに皮をむく。しんちゃんは小さい時から手先が器用で、くだものの皮むきも上手だ。むき終わると、その柿の実を三〇秒ほどじっとみつめ、それからゆっくりかぶりつく。こうして食べる柿の実のおいしいこと！　それはそれは至福のひと時なのだ。そんな時、上空の青空に遠く小さく飛行機が北のほうへ飛んでいくのが見えることがある。こういう日の夜、しんちゃんは、これ以上は考えられないほど幸せな気分で布団に入るのだ。

冬もたのしい

しんちゃんの田舎では冬は寒い。雪がどっさり降る。一晩に七〇センチも降ったこともある。雪が降ると田舎の生活は不自由になる。町へ出るのも大変だし、大雪になると屋根の雪をおろさないといけない。でも、冬も楽しいことがいっぱいなのだ。雪遊びができる。ゆきだるまや雪合戦はいうまでもない。ソリ遊びやスキーができる。屋根雪をおろすと、とてつもなく大きな雪の山ができる。それをくりぬいてカマクラも作れる。落とし穴を作ったりもできる。上手につくって、物かげにかくれ、だれか大人がはまるのを楽しみに待つのだ。

山へ行けば、秋にはクリをひろえるし、春にはゼンマイ、ワラビ、フキ、ミツバがとれる。ヤマツツジもあちこちに咲いている。その花びらをたくさん集めて口に入れる。これがまたすごくおいしい。ジトバをさがすのも楽しみだ。これは背丈が一〇センチほどで、ランの一種のようだが、くわしいことはわからない。その花の部分をそっと左右にひっぱるとポコッと二つに分かれる。年上の子が「これは爺さまと婆さまが抱き合っているのだ。だから『ジトバ』だ」と教えてくれた。なんとなくエッチな意味があるような気がしたけれど、しんちゃんにはよくわからない。

密漁してアユをとる

しんちゃんは、川遊びが大好きだ。家の前には小さい川が流れている。幅が二メートルくらい、深いところで二五センチから三〇センチの深さだ。しんちゃんがまだ小さいころは、これがプールの代わりになった。すっぱだかになって走ったり寝ころんだり、泳ぐ練習をしたりする。

ミミズやクモをエサにして釣りをすることもある。運のいい時には五、六ぴきは釣れる。とはいっても釣れるのはほとんどが「ヘコタ」というかしこくない奴ばかりだ。大阪のほうでは「ドンコ」というらしい。みんなが信じていた。ヘコタにしてもドンコにしても、間抜けな奴だからひっかかるのだ。だから、たとえどんなにたくさん釣れても、ヘコタを食べたりはしない。ヘコタを食べるような奴は、ヘコタ以上にヘコタだとみんなから軽蔑されてしまう。

小学校の高学年になると大きいほうの川で泳いだり、漁をしたりする。漁といっても釣りではない。モリで突くのだ。この川にはけっこうサカナが多い。いちばん多いのはアユだ。しかしアユをとるには「かんさつ」というものがないといけない。漁業組合というところから許可書をもらうのだ。長い釣り竿で釣っている大人たちは、みな、この「かんさつ」を持っている。ときどき「川回り」というおやじさんが、「かんさつ」を持っているかどうか調べにやってくる。もちろん、しんちゃんたちは、そんなものを持っているわけがない。むずかしくいえば「密漁」なのだ。だからだれかを見張りに立てて、川回りの姿が見えると、モリをさっとやぶの中にかくす。やぶの中にかくす時間がない時はどうするか。川の中に沈めて足でふんづけて見つからないようにする。しんちゃんたちはたいそう用心深かった。だから一度も見つかったことはない。川回りがすぐそばまでやってくることもある。そういう時は、そしらぬ顔をして「こんにちはー」とかいって愛想をふりまく。川回りは「おう、元気かー」とかなんとかいって行ってしまう。

さて、アユであれなんであれ、サカナというものは泳ぎまわっている。それも相当のスピードだ。そんなサカナをモリで突くなんてできるわけがない。では、どうするか。みんなで川の上と下に分かれて石を投げ込む。かなりの数の石を投げ込むとどうなるか。川の中に落ちた石はほかの石にあたって、キーンという、それはそれはきつい音がする。水の中でその音を聞くと耳が痛くなる。サカナどもはおびえて泳ぐのをやめ、大きな石のかげなどでじっと動かなくなる。それを水中メガネで確認して、エイヤッとモリで突く。逃げられてしまうこともあるけれど、しんちゃんくらいの腕のレベルになると、だいたい一〇ぴきのうち五、六ぴきは仕留めることができる。

ときどき、水中で、ねらいをすませたアユと目が合うことがある。じっとこちらをにらむのだ。「おねがい、やめて」と、たのんでいるように見えることもある。こういう時、心のやさしいしんちゃんは、ちょっとたじろぐ。ここで目をそらすとアユはそのあいだにさっと逃げてしまう。だから目をはなさないで、思い切ってモリを突き立てる。うまくいけばアユの胴体に突きささり、アユは大きく体をくねらす。こんな時、しんちゃんは、思わず「ごめんね」といいそうになる。しかし逃がしてやるわけではない。

とったサカナは、川柳かなにかの細い枝にさして持ち歩く。枝の先をまるくむすぶ。反対側のはしをサカナのエラから口へ通せば落とすことなく持ち運べる。とれたサカナの数が少ないうちは自分で持ったまま漁ができる。でも大漁になるとそうもいかない。そういう時はどうするか。自分より小さい子に持ってもらう。大きい子がとったサカナを持って歩いてくれる子分がいつでも見つかるのだ。もちろん漁が終わると、こういう子にとれたサカナの一部を分けてあげる。子分の年齢にもよるけれど、おおよそ四分の一から三分の一くらいだ。こうして分けてもらった子は、家へ帰ると、あたかも自分でとったかのように大人に自慢する。大人のほうだって、運び役をして分けてもらったことなどお見通しだ。しかし、「だれのサカナを持ってあげたの？」なんて無慈悲なことはいわない。

「おーっ！　今日は大きいのがとれたなあ！」などといって大げさにほめるのだ。

こうしてつかまえたアユ、ヤマメ、ウグイなどのサカナは、てんぷらになって夜の食卓に上る。おばあちゃんが、ほめてくれる。「おまえは、この村一番のサカナとりだよ」なんていいながら、おいしそうに口にはこぶ。しんちゃんは、なんだか大きくなったような、すごくしあわせな気分になるのだ。しんちゃんのアユとりの最高記録は、ある日の午後の三時間だけで三四ひきだ。

ある日、事件が起きた。しんちゃんのサカナを持っていてくれていた三郎君が、そのサカナをぜんぶ流してしまったのだ。しんちゃんのサカナを持っているだけでは物足りなくなって、自分も水中メガネで川の中をのぞいたりしていて、うっかり流してしまったらしい。思わず「サブちゃん！」と大声が出た。しかし次の瞬間、声が出なくなってしまった。サブちゃんは泣きそうな顔をしている。どうしたわけか、二年前の学校での出来事が思い出された。

あの時、なにかの授業のはじめに担任の順子先生がいった。

「今日はとてもいい天気なので、校庭の草抜きをしませんか……」

グラウンドで生えかけていたたくさんの草をみんなで抜いてきれいにすることになった。しかし天気がいい。グラウンドは広い。みんなは草抜きのことなど忘れて遊び始めた。地面に線を引いて「じんとりがっせん」だ。しんちゃんも草ぬきなどすっかり忘れて、ほかの子と取っ組み合いをしていた。そこへ担任の順子先生がおくれてやってきた。そしてひとことだけいった。

「しんちゃん……！」

なんだか悲しそうな顔だ。しんちゃんも悲しくなった。なぜか、この時のことが思い出されてしまったのだ。サブちゃんの泣きべその顔を見て、しんちゃんは何もいえなかった。

……その日、しんちゃんは、またがんばって六ぴきのアユをしとめた。そしてそのうちの三びきをサブちゃんにわたしたのだった。

いろいろな遊び

とまあ、こんなわけで、しんちゃんの子ども時代はたいへん充実している。なにしろ遊びがいっぱいなのだ。放課後に思いっきり遊ばなくてはいけない。だから宿題は休み時間にすませてしまう。

こま、めんこ、ビー玉、かんけり、いしたおし、石投げ、たこあげ、こけとり、坊さんがオナラした、チャンバラ、ソフトボール、木登り、学校ごっこなどなど、数えればキリがない。ぼんやりと夕日が沈むのを見るのも、しんちゃんの楽しみの一つだ。ソフトボールは村のお宮さんか、稲刈りのすんだ田んぼでプレーする。

ときには遊びほうけているうちに暗くなってしまうこともある。そんな時、おじいちゃんが、まじめな顔をしていつものようにしんちゃんをおどす。

「あのなあ、しょんどんのうち（木下さん家）のうしろにでっかい杉の木が何本も立っているだろ。あそこは昼でも暗い。日が暮れて暗くなってから子どもがあそこを通ると、テンジク（天竺）からツルベがおりてきて、子どもをさらっていってしまうんだぞ。」

「……。」

「この村でも、そうやって、とうとう帰ってこなかった子が何人もあるんだ。」

これはこわい。こわいけれど、それでもやはり真っ暗になるまで遊んでしまう。そういう時どうするか。仕方がない。そういうときは、そのこわいところを通らないで、ずーっと大まわりをして家に帰る。するとまたおじいちゃんが、いつもの話を始めそうになる。そういう時、しんちゃんは「おしっこ！」と叫んでトイレへかけ込む。なかなかかしこい、と思いませんか。

というようなわけで、しんちゃんは素敵な田舎で思いっきり遊んで、夜はぐっすり眠るのだ。

14　立たされた話

「こらっ、なにをしてる！」

とつぜん、頭の上で大きな声がした。しんちゃんがおどろいて見上げると、こわい顔がしんちゃんを見下ろしていた。びっくりした。なんと、チョビひげの校長先生ではないか。

「ケンカはいけません。」

校長先生は、つづけた。

「……………。」

しんちゃんは、すぐには答えられなかった。なにかいおうとした。でも、声が出ない。

ケンカをしていたのではない。ゆたか君が、はじめ君をいじめていたので、止めていたのだ。ゆたか君は、はじめ君の上に馬乗りになって、はじめ君のむねをおさえつけていた。

小さくてよわいはじめ君が、下じきになって泣いていた。それを見たしんちゃんが、ゆたか君をひきはなした。おこったゆたか君が、しんちゃんにつかみかかってきた。はじめ君は、さっさとにげてしまった。

ウンの悪いことに、そこへチョビひげの校長先生がとおりかかったというわけだ。おひるごはんの終わったあとの休み時間、屋内運動場でのできごとである。

校長先生が、また同じことをいった。

「ケンカはいけません。」

しんちゃんは、ケンカをしていたわけではない。よわいものいじめをしていたゆたか君を、止めていたのだ。

「あのう…………、」

どういったらいいのだろう。すぐにはことばが出ない。なにしろ、相手は校長先生なのだ。背は高くないが、チョビひげをはやして、いつもネクタイをしている。めったに笑わない。みんなからこわがられている。こわがられているというより、さけられている。子どもだけではない。先生たちだって、きっとびくびくしていたにちがいない。

「あのう…………、」

ケンカではありません。

しんちゃんは、そういおうとした。しかし校長先生は、しんちゃんのことばを待ってはくれなかった。

「とくかく、ケンカはいけません。二人ともついてきなさい。」

大きくはないけれど、きっぱりとした言い方だ。校長先生はさっさと歩きだした。しんちゃんとゆたか君が顔を見あわせていると、校長先生はうしろをふりかえって、くりかえした。

「職員室へきなさい。」

ええっ！　職員室？　職員室といったら先生たちの部屋ではないか。どうして？　ぼくは、悪いことなんかしていない。ゆたか君が、よわいものいじめをしていた。それを止めただけなんだ。どうして？

職員室に入ると、校長先生がいった。

「さあ、理由をいいなさい。なぜケンカをしていたのですか。」

こういうとき、学校の先生というものは、きゅうにていねいなことばづかいになるのだ。

しんちゃんはがんばって、いおうとした。ケンカじゃありません。ゆたか君が、はじめ君を……。

でも、どうしてもうまくいえない。ことばが出てこないのだ。校長先生はイライラしてきたらしい。

「ごうじょうな子だね。理由がいえないのなら、しばらく、そこに立っていなさい。」

ええっ！　立たされるの？　なんで？

「反省するまで、ここに立っていなさい。ちゃんと反省したら帰してあげます。」

反省だって？　ぼくは、なにも悪いことなんかしてない。ケンカなんかしていない。なにかいわなくっちゃ……。でも、ことばが出ない。

しんちゃんの子どものころは、悪いことをした子は、よく教室や職員室に立たされたのだ。校長先生は、もう一度しんちゃんの顔を見ると、だまって向こうへ行ってしまった。

ええっ！　ずっと立っていなくてはいけないの？

職員室には、一〇人ほどの先生がいた。午後の授業はまだ始まっていない。ときどき、こっちの方をちらちら見る先生もある。そのうち、担任のマスダ先生が二人の前へやってきた。

「いったいどうしたのかね。どうして、校長先生に立たされたんだい？」

あのう…………。

マスダ先生は、きっと味方になってくれるにちがいない。うまく説明しなくっちゃ。ケンカじゃないんだ。それをわかってもらわないと。

「あのう……」

そういいかけた時だ。キンコンカンコンとチャイムが鳴った。

「とにかく、早く反省して校長先生にあやまりなさい。」

ああ、マスダ先生まで「反省しなさい」というではないか。それに、大人は理由をちゃんと聞かないで、すぐに「とにかく」っていうんだ。

しんちゃんとゆたか君は立ちつづけた。一〇分ほどして校長先生がやってきた。本当は、一〇分もたっていなかったかもしれない。

「どうですか。反省しましたか。」

「…………」

「ちゃんと反省したら、すぐに帰っていいんですよ。」

「…………」

「じゃあ、もう少しそこに立っていなさい。」

職員室には、先生たちはあまりのこっていない。一年生の担任の島谷先生が近よってきた。

「しんちゃん。ゆたか君。いつまでもがんばっていないで、早く校長先生にあやまってしまいなさい。そのほうが得よ。」

しばらくすると、今度は木下先生がやってきた。

「ほほう、がんばっているのか。なかなかこんじょうあるなあ。」

こんじょうあるなあ、だって？　もちろん、ほめているのではない。イヤミにきまっている。向こうのほうで、黒田先生が酒井先生にいっているのが聞こえてきた。

「しんちゃんのお父さんも学校の先生だけど、とってもおだやかなやさしい方なのにね。しんちゃんは、いったいどうしたんでしょうね。」

しんちゃんのお父さんは、たしかにやさしい。おこったことなんか一度もない。それはたしかだ。でも……、それとこれとはべつだ。なんの関係もない。

長い時間が過ぎてキンコンカンコンとまたチャイムが鳴って、五時間めが終わった。

校長先生がやってきた。

「まだ立っているのですか。いいかげんに反省しなさい。反省したら、すぐに帰してあげます。」

「…………」

「なんとかいいなさい。」

「…………」

「困(こま)った子たちですね。」

校長先生(こうちょうせんせい)は、いかにも「あきれた」という顔(かお)をして行ってしまった。となりのゆたか君(くん)がしんちゃんの服(ふく)のそでをひっぱった。

「しんちゃん。そろそろハンセイしようよ。」

「…………」

「もう、一時間もたったよー。」

「…………」

「おれ、おしっこしたくなった。」

「…………」

「おしっこ出ちゃうよ。」

「……ここですればいい。」

「えっ？」

「ここで立ったまますればいいんだ。」

「…………」

このころになると、しんちゃんは、「今日はぜったいにあやまらない、反省もしない」と決めていた。ちっとも悲しくない。くやしくもない。それどころか、このまま立っていて反省しなかったら、校長先生はどうするだろう、なんて、そんなことを考えはじめていた。

それにはちゃんと理由があるのだ。六時間めには授業がなくて職員室にのこっていた西出先生が、伊東先生にいっているのを耳にしてしまったのだ。

「伊東先生。今日はたしか三時半から職員会議でしたね。」

「ああ、そうでした。そうでした。忘れていました。」

先生たちの会議がはじまっても、このままぼくたちが立っていたらどうするんだろ？

三時半がせまってきた。校長先生がやってきた。怒っている。

「いいかげんに反省しなさい。意地をはるもんじゃない。」

「…………」

担任のマスダ先生がやってきた。

「こら、いつまでごうじょうはってるんだ。このままでは、先生も困るんだ。」

「…………」

島谷先生がしんぱいそうにちかづいてきた。

「しんちゃん、ゆたか君。島谷先生もいっしょにあやまってあげるから、はやくしなさい。ねっ。そのほうがいいわよ。」

島谷先生はやさしい。うれしかった。島谷先生の顔を見た。先生はにこっと笑ってくれた。ちょっと心がうごいた。でも、そのときまた校長先生がやってきた。こわい顔をしている。

「もうすぐ職員会議です。いつまでがんばるつもりですか。こんなにごうじょうな子は見たことがありません。」

しんちゃんには、すぐにわかった。ははあ、校長先生も困っているんだ、本当は。

「…………」

とうとう校長先生がどなった。

「もういい。いいから帰りなさい。」

職員室を出るとき、しんちゃんは、心の中でさけんでいた。

「やったぜー！」

こんなに心がはればれしたことはない。

このときから、しんちゃんとゆたか君は、大のなかよしになった。

しんちゃんが五年生の時の話だ。

15　くつかくし

「ぜったいに、ぼくじゃありません。」

「しかし、見たという人もいるんだよ。」

「ウソです。ぼくは、そんなことはしてません。」

「どうしても、ちがうというんだね。」

「ちがいます。」

「ごうじょうだね、君は。」

「ごうじょうなんかじゃありません。ぼくはそんなこと、してません。」

しんちゃんは、ワーッと泣き出した、机につっぷして、大声で泣いた。思いきり泣いた。

先生は、大きなため息をついてからいった。

「ほんとにごうじょうな子だね、キミは……、困った子だね。」

「ぼくじゃありません。」

しんちゃんは、ワーワー泣きながら、心の中でつぶやいた。

（マスダ先生なんか大きらいだ。かってに困ればいいんだ！）

それになんだい。いつもなら「しんちゃん」というのに。今日はちがうじゃないか。「キミは」なんていうんだ。

しんちゃんは、ますますくやしくなって、泣きつづけた。

場所は小学校の教室。国語の時間のはずなのに、マスダ先生は、いきなり昨日の事件の話をもち出したのだ。

昨日の放課後、よしかず君のくつがだれかにかくされた。何人かでさがして、しんちゃんが見つけ出した。するとマスダ先生は、しんちゃんのしわざだと決めつけて、クラス全員の前でしんちゃんを責めたてたのだ。

しんちゃんは、くやしくて仕方がない。だって、マスダ先生は「ハンニンは、きみしか考えられません」なんていうんだから。いくらなんでも、ハンニンなんてひどいじゃないか！

マスダ先生は、泣き伏しているしんちゃんをジロリとにらむと、

「では、みんな、教科書をひらいて。」

といった。国語の授業をはじめたのだ。まるで何ごともなかったかのように。しんちゃんは、また、よけいにくやしくなった。

ひどいじゃないか。ぼくがこんな目にあっているのに、どうして、平気な顔をして授業するんだ。ひどすぎるよ、こんなの。

しんちゃんは、また、わーっと大声で泣いた。

マスダ先生は、ふりむいて困ったような顔をして、少しの間しんちゃんのほうを見ていた。こういうときマスダ先生は、けっしてどなったり、大声でしかったりはしない。ふつうの、少しきげんの悪い声でゆっくりといった。

「もういい。もういいから、いいかげんに泣きやみなさい。」

しんちゃんは、おどろいた。

「えっ？　もういい、だって？　先生はいいかもしれない。ボクはちっともよくないよ。」

しんちゃんは、泣き声をあげるのはやめた。しかし顔はあげなかった。けっきょく、その時間は、顔をふせたままで授業が終わってしまった。最後の「起立、礼！」の時も立たなかった。

次の理科の時間は、カサマツ先生の授業だ。カサマツ先生は、年は五〇代の中ごろだろう。背はあまり高くない。メガネをかけている。

カサマツ先生はすぐに、しんちゃんが机につっぷしたまま、立とうとしないのに気がついた。

「おや、しんちゃんは、どうしたんだい。どこか具合がわるいのかな。」

ほかの子たちが口々に、何が起こったのかを説明した。

カサマツ先生がしずかな声でいった。

「そうか。しんちゃんにも、きっとなにか納得できないことがあるんだろう。」

（そうなんだ。ぼくにはナットクできないんだ。）

「さあ、みんな。しんちゃんの気持ちにもなって、このままにしておいてあげようじゃないか。では、授業をはじめるよ。」


しんちゃんは、声をあげて泣くのはやめた。しかし心の中でまた泣いた。くやしくて泣いたのではない。うれしくて泣けてきたのだ。

『カサマツ先生はいい先生だ。だいすきだ！……。ちゃんとわかってくれてるんだ。』


さて、話は、これで終わりではない。じつは……、これは内緒の話なんだけど……、くつをかくしたのは、本当はしんちゃんだったのだ。

しんちゃんには、どうしても許せなかったのだ。

よしかず君は、先生の前ではいい子ぶってるけれど、自分より勉強が苦手な子に、めちゃくちゃイヤミをいうのだ。昨日もそれがあまりにもひどいので、「少しこらしめてやろう」と思っただけなんだ。

マスダ先生は、ぼくにはちゃんとワケがあるのに、それを聞こうともしないで「ウソつき」だと決めつけた。マスダ先生なんか大きらいだ。マスダ先生のことなんか、二度と信用するものか。……これからは、カサマツ先生だけを信用しよう。

しんちゃんは、顔をあげてカサマツ先生の話を聞きはじめた。その日の「水と氷とお湯の話」は、すごーくおもしろかった。

16　遠くへ行きたい・その2　しんちゃんのお父さん

山のあなたの空とおく
さいわいすむと人のいう
ああ、われ、人ととめゆきて
なみださしぐみ　かえりきぬ
山のあなたの　なおとおく
さいわいすむと、人のいう

しんちゃんは、この詩が好きだ。ドイツのカール・ブッセという人の有名な詩だ。「あの空のずっとむこうには幸福（しあわせ）がある」と、いろいろな人がいっている。だから私は、愛する人といっしょに、その幸福をさがしに出かけた。でも、幸福は見つからなかった。あの山のむこうの、そのまた遠くに幸福があると、人はいうのだけれど。
と、まあ、こんな意味だ。しんちゃんは、五年生になったころにこの詩を知った。そしてすっかり心をうばわれてしまったのだ。

　しんちゃんの家は、田舎の村の南のはずれにある。家はそんなに大きくはない。しかし、屋敷はけっこう広い。その屋敷の西のはしっこに、なぜか大きな石がおいてある。しんちゃんはその石にこしをおろして、夕日がしずむのを見るのが好きだ。

　西の空が少し赤くなって、遠くの山のむこうへ太陽がしずんでいく。ジーっと見ていて、しんちゃんは気がついた。太陽がしずむのではない。山がほんの少しずつ、かすかに上がっていくのだ。太陽は本当は動いていない。地球が動いているのだ。大発見！

　しんちゃんは、ちょうどそのころに「山のあなたの……」という詩に出会ったわけだ。
「遠くへ行きたい」という気持ちは、そのおかげでますます強くなった。あの山のむこうには何があるんだろう。そのむこうの、そのまた遠くには……！　ああ、行きたいなあ、早くおとなになりたいなあ。そんなことを、いつも思っているしんちゃんでした。

しんちゃんのお父さんは中学校の先生だ。地理を教えている。そのためだろう。お父さんは地図帳を何冊も持っている。しんちゃんも一冊持っている。お父さんがくれたのだ。それも、お父さんのいちばん新しいのを。

しんちゃんは、お父さんからもらった地図を見るのが大好きだ。地図を見ていると、いろいろなことに気がつく。富士山の次に高い山はどこだろう？　あれっ、琵琶湖と淡路島は、形がなんだかよく似ているぞ。自分の家から東京へ行くのには、どの鉄道をつかうのがお得か……などなど、時間のたつのを忘れてしまう。

ある時、しんちゃんは北海道にも、自分の村の近くの山と同じ名前の山があるのに気がついた。きっとお父さんは知らないにちがいない。そこで……、

「とうちゃん……」

（そのころ、しんちゃんはお父さんを「とうちゃん」と呼んでいた。）

「とうちゃん、北海道にも、ぼくの村のと同じ名前の山があるんだね。」

「ん？　どんな山だい？」

「ほら、これ。」

「ああ、これはなあ、アタラシ山じゃない。昭和新山ていうんだ。」

「ふーん、ショウワシンザン？」

「そうだ。昭和の時代になってできたから昭和新山。」

「えっ。山ができたの？」

「そうとも。火山のすぐ近くの平地がだんだんもり上がって、数年でとうとう山になったってわけだ。」

「ええっ！　山って、そんなにかんたんにできるの。すごいなー。へぇーっ！　すごいなあ。」

「まあ、これは特別だな。ところで、北海道には、いろいろ変わった町があるぞ。これはなんて読むかわかるかな。」

お父さんが指さしたのは、昭和新山の近くの長万部だ。

「うーん、『ちょうまんぶ』かな。」

「これはな、『オシャマンベ』と読むんだ。」

こんなことから、しんちゃんは北海道がすっかり気に入ってしまった。そうそう、お父さんが教えてくれた小樽という港の町を、しんちゃんは「おサル」と聞きちがえた。それで、ずーっと、中学になってもまだ、小樽を「おサル」だと思っていた。「おサル」があるなら、きっと「おネコ」とか、「おウマ」なんてのもあるんじゃないかな……!?

ところで、ある時、しんちゃんはお父さんと二人で囲炉裏にあたっていた。しんちゃんの家には囲炉裏があるのだ。

「とうちゃん。とうちゃんは、よく旅行に行くでしょ。遠くへ行くのが好きなんだね。」

「そうだな。遠くへ行くと、いろいろなものを見たり、いろいろな人に出会ったりできるからな。……。」

おとうさんは、そういったまま、口をつぐんでしまった。だいぶたってから、ポツポツと話しはじめた。

「とうちゃんはな、若いころ、行きたいところがあったんだ。」

「………」

「満州へ行きたかったんだよ。」

「マンシュウ?」

「今は、中国の一部だ。中国の北の方だよ。」

「外国かー。えっ、中国?」

「そうだ。日本が戦争に負ける前は、たくさんの人が満洲へ行った。旅行じゃない。開拓団といってな、ひっこしたんだ。満州はいいところだ、思い切ったことがいっぱいできるって、そういわれてなあ。若い人のあこがれの国だったんだよ。」

「とうちゃんも行きたかったの?」

「行きたかった。……。しかしな、かあさんが、つまり、おまえのおばあちゃんに引きとめられた。おばあちゃんが、涙を流して、どうか行かんといてくれって、泣いてたのんだんだ。それで、あきらめた。……けっきょく、日本は戦争に負けて、満州にいた日本人はひどい目にあった。行かなかったからよかったんだが、やっぱり行きたかったなあ。」

「……」

「しん、」

(お父さんは、しんちゃんのことを「しん」と呼ぶのだ。)

「しん、おまえはなあ、行きたいところがあったら、どこへ行ってもいいぞ。」

「……」

「大人になったら、都会へ行って大きな仕事を始めてもいい。外国へ行くのもいいだろう。好きにしていい。」

「……」

「ただ、なあ、しん。おじいちゃんの、そのまたおじいちゃんのころからつづいている、この家のお墓だけは、これだけは守ってくれるとうれしいな。どうだ。」

しんちゃんは、大きくうなづいた。

「うん、もちろん。」

その夜（よる）、しんちゃんは、なかなか寝（ね）つけなかった。

「とうちゃんは、遠くへ行きたかったんだ。だから、ぼくにどこへ行ってもいいっていってくれた。……とうちゃん、大好（だいす）きだー！」

それにしても大きくなったらどこへ行こうかな。リビングストン博士（はかせ）みたいに、アフリカのビクトリア湖（こ）へも行ってみたい。どこか遠いところへ行って、行方不明（ゆくえふめい）になる。さがしに来た人からリビングストン博士みたいに

「しんちゃんではないですか。」

といわれるかも……。モンゴルの草原（そうげん）もよさそう。タヒチ島（とう）というすてきな島（しま）もあるらしい。エベレストはちょっとむずかしいかな。ロビンソン・クルーソーのように、どこかの無人島（むじんとう）……？

それにしても、ぼくは大人になったら何になろうか。

外国へ行く飛行機のパイロット？
大きな新聞の記者になって……？
旅行会社のおせわをする人？
日本一周？
いやいや世界一周だ。
よその国に学校をつくって、日本の子どもらを連れて行ってあげるというのは？
……この日、しんちゃんは、それはそれはしあわせな気分で眠りについたのでした。

17　しんちゃんと数学

数学は赤点つづき

しんちゃんは、高校の時、数学の成績がひどく悪かった。通知簿の成績はほとんどいつも三〇点以下、つまり赤点ばかりだ。高校三年の前半はとくにひどかった。授業には真面目に出席した。さぼったりはしない。けれど、体がどうしても数学を受けつけない。先生の話は耳に入ってくる。しかし、入ったとたんにスーッと消えていく。でも、ちゃんと聞いていた。いやいや、ちゃんと聞いているフリをしていた。しかし、心はぜんぜん別のほうにとんでいた。図書館で読んだ本の中身を思い出したり、自分で小説のプランを練ったりして……。水、陸、空のどこでも使える乗り物の設計もした。呼吸を止めて、どれだけガマンできるかを腕時計で測ったりもした（最長記録はちょうど三分間だ）。

しんちゃんの数学問題は根が深い。これまでにも書いたのだが、まず小学校の時にそろばんで傷ついた。中学校に入って、大きな数の計算でとうてい立ち直れそうもない打撃を受けた。その時のなりゆきはこうだ。

上2桁の計算

中学一年の授業で大きな数の計算（概算）の学習をした。上二ケタとか上三ケタとかで計算するという例のあのやり方だ。しばらくして中間試験で、この計算をつかう問題が出た。上二ケタの割り算だ。しんちゃんは、上二ケタで計算して結果も「630」と解答した。

しかし、なんということだ。結果はバツ。

その一方で「633」と答えた子らが、〇をもらっていた。ところがそのあとの授業で先生は、その試験問題の正しい解き方を説明したのだ。そして、なんとなんと……、

「こういうときは答えも上二ケタで出します。だから正しいのは630です。633ではありません。」

しんちゃんは、ホッとした。しかしその場ではだまっていた。その先生がきらいではな

かったし、それに「先生に恥をかかせてはいけない……」と気をつかったのだ。授業が終わると、先生を追いかけて、階段の曲がり角のところで声をかけた。

「先生、ぼくは630と解答しました。でも、ペケになっていました。」

いっしゅん、先生の顔がひきつった。気まずい沈黙が一〇秒か一五秒つづいた。そして、先生は、とつぜん大声で怒鳴ったのだ。

「過ぎたことをツベコベいうなっ!」

イヤミな先生

これは中学校に入ったばかりのことだった。二年生になると数学の先生が変わった。先生は変わったけれど、やはり数学は好きになれなかった。成績がよくなかったわけではない。まずまずのいい点もとれていた。しかし、新しい先生には、とてもいやなクセがあった。まず、ヘビースモーカーで、いつもタバコのにおいをぷんぷんさせていた。それだけならまだ我慢もできただろう。もっといやなクセがあった。

数学が苦手な子を平気でしつこくバカにするのだ。

「あーあ、われわれ学校の先生はつまらんなー。生徒を選ぶことができんのだからなあ。」

こういったイヤミを、この先生はしょっちゅう口にした。それだけではない。手の込んだ皮肉を放って、数学が苦手な生徒を愚弄するのだ。たとえば幾何で円（円周率）の学習の時間、前へ出て黒板で問題を解くようにいわれた修治くんが困っていると……

「お釈迦さまもおっしゃってるぞ。円なき修治は度しがたし、とな。」

仏教の「縁なき衆生は度しがたし」をもじったのだ。本当は、すべての人にやさしい仏様でも、仏様の教えを聞く機会のない人を救ってあげることはできない、という意味だ。

この先生、自作の語呂合わせにたいそうご満悦の様子であった。しかし、これはユーモアではない。皮肉、イヤミ、あてこすり、毒舌、侮蔑のたぐいだ。ユーモアには、やさしさ、思いやり、気づかい、愛情がある。この先生のことばには、相手を否定する感情がどっさりこもっている。

しんちゃんは考えた。

こういうイヤミを得意とする人は、心の中では自分自身をきらっているのではないだろうか。自分では気がついていないだけなんだ、きっと！

数学はあきらめなさい

しんちゃんは、それでも中学校の数学の試験ではまあまあいい成績をとりつづけた。しかし数学にたいする嫌悪感は消えなかった。高校がまたひどかった。県立高校なのに受験指導にたいへん熱心で、とくに数学への力の入れようは尋常ではなかった。しんちゃんは、たちまち不適応を起こし、学期末試験ではつねに赤点、それも0点からせいぜい20点のあいだをうごめいていた。

高校三年の秋、それも十一月、数学の試験で座標軸というものの特別の点を求める問題が出た。もちろん、ちんぷんかんぷんだ。苦しまぎれに答えをでっち上げた。ところが、それがなんと正解になっていたのだ。そのあとの時間に先生が型通りの解答方法の解説をすませたあとでいわれた。

「ところで、みんな、聞いてくれ。しん君が変わった解き方をしたぞ。それは………。こんなやり方がありうるとは、私も今まで知らなかった。」

ちょうど同じころ、担任の先生に呼ばれた。

「君は大学受験の数学が気になって仕方ないだろう。どうだい。このさい、数学は気にしないで、大学受験は四教科で勝負してはどうかね。なんとかなるかもしれないぞ。」

しんちゃんは、この二つのできごとのおかげで、すっかり気持ちがラクになった。すごい解放感におそわれた。そこで、なんとなく高校数学の初歩の参考書を開いてみた。すると……意外にも、けっこうかんたんではないか！

それから三か月余り、高校最後の数学のテストでは90点を超え、しんちゃんはみごとに第一希望の大学に合格した。

18　しんちゃんと音楽

小学生と中学生のころ、しんちゃんは音楽が大の苦手だった。61ページにも書かれているようにそのことで妹のみっちゃんを泣かせたこともある。

じつは、しんちゃんが音楽を毛嫌いするようになったのは、とても大きな心の傷を負ってしまったからなのだ。

思い出したくないのだけれど、それはしんちゃんが小学一年の時の音楽の時間に起きた。音楽の先生が「おうま」という歌を教えていた。仲良しの馬の親子が一緒に歩く、あの歌だ。

先生はピアノをひきながら何度もうたってみせてくださる。でも、子どもたちの反応がよくない。先生がだんだんイライラしてきた。

「さあ、みなさん、よーくきいてね。こんなふうにうたうのよ。はい！　♪～。」

とうとう先生は声をあらげた。

「みなさん！　どうしてなの！　なぜうたわないんですか！」

ひろい音楽室がシーンとなる。気まずい沈黙のあと、しんちゃんが手をあげた。勇気をふりしぼって小さな声でいった。

「ぼく、うたいました。」

「なんですって。ちゃんと大きな声でいいなさい。」

「……ぼく、うたいました。」

先生は一瞬たじろいだ。しかし、その次の先生のことばが、しんちゃんの心に決定的なダメージを与えてしまったのだ。

「しんちゃんのは、歌ではありません！」

それからというものは、しんちゃんは音楽とは縁を切ってしまった。音楽の時間では、ちゃんとうたわないで「口パク」ですませる。頭が痛いといって仮病をつかう……。そんなしんちゃんに追い討ちをかけたのが、あの妹のみっちゃんの暴言だ。しんちゃんはすっかり自信とやる気をなくしてしまった。どうしても歌わないといけない時でも、音程ははずれる、リズムは間延びするといった始末だ。

それから一〇年あまり、しんちゃんが、とつぜん音楽の世界にはまり込んでしまった。きっかけは偶然に耳にしたベートーベンの交響曲第九番（通称「第九」）の第四楽章だ。しんちゃんはびっくり仰天、天地がひっくり返るほどおどろいた。

やがてしんちゃんは、おこづかいの半分はクラシックのレコードやCDを買うようになった。ベートーベン、モーツアルト、チャイコフスキーなどがお気に入りの作曲家である。好きになった指揮者はアメリカのジョージ・セルだ。

「セルはチャイコフスキーの交響曲第四番を二度録音している。いつものクリーヴランド交響楽団のCDより、ロンドン交響楽団を振った時のほうがよろしい。」

こんな生意気(なまいき)なこともいうしんちゃんでした。

19　妹の死

♪♬♪♬♪♬

にょーらいだいひの　おんとくはー
みをこにしーても　ほうずべし。
ししゅーちしきの　おんとくもー
ほねをくだきてーも　しゃすべし。(注)
なむあみだぶつ、なむあみだぶつ……チーン！

四歳か五歳のころのしんちゃんは、毎日のように仏さんにお参りする。家の中に仏壇があるのだ。しんちゃんの村では、仏壇のことを「なんなはん」とよんでいる。しんちゃんのひいおばあちゃんが、いつも夕方になると「なんなはん」のとびらを開けて、「ごぜんさん」つまり小さく盛ったごはんを差し上げてから、こんなお経のような歌を唱える。終わると「なむあみだぶつ」を何度もくりかえして、最後に小さな鐘をたたいて、ていねいにおじぎをして、「なんなはん」のとびらを閉める。

しんちゃんのひいおばあちゃんは、とっても信心深い人で、毎日のように自宅の仏さんにお参りする。それだけではない。一年に何度か町の大きなお寺へ出かけて、ひとばん泊まったりもする。

しんちゃんがまだ五歳くらいのころ、ひいおばあちゃんが、こんなことをいいはじめた。

「しんちゃんや、いい子にするんだよ。いい子にしていたら、おしゃかさまが守ってくださるからね。」

「オシャカサマ？」

「そうだよ。おしゃかさまは、この世のみんなをやさしく見守っていてくださるんだよ。」

「ふーん？」

「心の正しい人は、死んだあとで、極楽へ呼んでもらえるんだよ。」

「ゴクラク？」

「そう。極楽は、それはそれは美しいところで、みーんな、しあわせに暮らせるんだって。」

「へぇーっ。……ねえ、おばあちゃん、ぼくって、心の正しい人？」

「そうだね、しんちゃんは、妹のみっちゃんや、ゆきえちゃんにやさしいし、悪いことはしないいし、ウソもつかないいし、とうちゃんとかあちゃんのいうことはちゃんときくし……。」

「じゃあ、ぼく、ゴクラクへ行けるね。」

「そうとも。しんちゃんは、とってもいい子だからね。」

「ああ、よかった。なむあみだぶつ！」

しかし、おばあちゃんの話は、それで終わりではなかった。

「でもね、しんちゃん。心の正しくない人は、死んだら極楽へは行けないんだよ。」

「……？　心の正しくない人って？」

「そう、人にいじわるをしたり、ウソをついたり、人のものを盗んだり、人を傷つけたり殺したり……、そんなことをすると、死んだあと、地獄へおちるんだよ。」

「えっ、ジゴク？」

「そうだよ。地獄というのは恐ろしいところだよ。こわーいオニがたくさんいて、生きているときに悪いことをした人は、そのオニたちにひどい目にあわされるんだとさ。たたかれたり、けとばされたり、刀で切られたり、火あぶりにされたり、目玉をくりぬかれたり……ああ、おそろしい！」

「イヤだー！　そんなの、イヤだーっ！」

「いやだよね。だから悪いことはしないようにしようよね。」

「うん！」

おばあちゃんは、ここで声をひそめて付け加えた。

「それにね、しんちゃん、地獄の入り口には閻魔様がいるんだよ。」

「エンマサマ？」

「そうだよ。しんちゃん。生きているときにウソをついた人は、閻魔様にね、舌を抜かれてしまうんだ。」

「えっ！　舌をとられてしまうの？」

「そうだよ。二度とウソをつかないようにって、大きなペンチで舌をはさんで、抜いてしまうんだ。」

「イヤだー！　そんなの、イヤだーっ！　そんなことされたら、もうしゃべれなくなるーっ！」

「だから、ウソはつかないようにしようね。」

「うん……」

それから何か月かが過ぎたころ悲劇が起きた。八月九日の朝早く、しんちゃんのいもうとのゆきえちゃんが、とつぜん、ひきつけを起こした。体をぴくぴくさせて、呼吸が苦しくなったのだ。

ゆきえちゃんは、生まれつき体が小さくて、とても弱い子だった。何度もお医者さんにかかった。この日もすぐにとなり村の平野先生に来てもらった。平野先生は、むずかしい顔をして、ゆきえちゃんの白くて細いうでに注射を打った。ゆきえちゃんは泣かなかった。注射なんて、いたくて泣くはずなのに、ぴくっともしないのだ。どうして？　しんちゃんは、なんだかわけがわからなくなった。

その日の夕方、ゆきえちゃんは、息をしなくなった。まだ二歳半だった。みんな泣きはじめた。おかあさんが泣き、おばあちゃんが泣き、おとうさんまで……。おかあさんが、しんちゃんにささやいた。

「ゆきえちゃんは死んだんだよ。ほら、手を合わせなさい。」

しんちゃんは、大人の人たちにならって、しっかり手を合わせた。涙は出なかった。

それから二日後、ゆきえちゃんの葬式がおこなわれた。お坊さんが二人きて「なんなはん」の前でお経をいくつもあげて、そのあと行列をして村の火葬場へ向かった。しんちゃんは、ゆきえちゃんの棺の前で小さな灯篭を持って歩く役目を与えられた。

ふしぎなことに、しんちゃんには悲しいという気持ちがほとんどわいてこなかった。頭の中は一つのことでいっぱいだったのだ。

「ゆきえちゃんは、ゴクラクへ行くのだろうか、それともジゴクへ行くのだろうか……。」

葬式が終わって、家の中にゆきえちゃんがいなくなると、しんちゃんの疑問はますます大きくなった。

「ゆきえちゃんは、どっちへ行ったんだろう。ゆきえちゃんはいい子だった。かわいかった。悪いことなんかひとつもしていない。だからきっとゴクラクへ行ったにちがいない。……でも、もし、まちがってジゴクへ行ったとしたら……。」

こんなことで頭がいっぱいになると、体がふるえてくるのだ。とうとうがまんできなくて、おかあさんにたずねた。

「ねえ、おかあさん。ゆきえちゃんは、どっちへ行ったんだろ。ゴクラク？　それともジゴク？」

もちろん、しんちゃんは、信じていた。おかあさんは、にっこり笑っていうにちがいない。

「あたりまえだよ、ゆきえちゃんはゴクラクに行ったにきまってるでしょ。ゆきえちゃんはあんなにかわいかったんだもの。」

ところが、なんということだ。おかあさんの答えは、しんちゃんの期待に応えてはくれなかったのだ。

「それはわからないよ。」

「えっ？」

「ニンゲンは、死んだら、地獄も極楽もないと思うよ。」

「えっ？」

「ほら、ぐっすり眠っているときには、なーんにもわからないでしょ。あんなふうになるんだよ、きっと。」

「ええっ！　それじゃあ、ぼくは死んだら、自分がもう死んだってことがわからないの？」

「死んだら、もうなんにもわからないだろうね。」

「ぼく自身もなくなってしまうの？」

「そうだよ、きっと。」

しんちゃんは大声で何度もさけんだ。

「イヤだーっ！　そんなの、イヤだーっ！　ぼくがなくなってしまうなんて、ぜったいにイヤだー！　そんなの、ずるいっ！　イヤだー！」

注

如来大悲の恩徳は身を粉にしても報ずべし
師主知識の恩徳も骨をくだきても謝すべし
（浄土真宗「恩徳讃」）

あとがき

学校法人きのくに子どもの村学園・南アルプス子どもの村中学校

この長い名前の私立学校に「ゆきほたる荘」というヘンな名前のクラスがあります。名前が変わっているだけではありません。縦割り編成です。中学一年から三年まで一〇人あまりが集まっています。もちろん教科学習もありますが、中心となるのは体験学習です。毎年ひとつの大きなテーマを決めて広く深く学習します。

まだあります。なんと正規の担任がいないのです。学習計画を立てて実行することから毎日の出欠の記録まで、ほとんどを生徒たちが自主的におこないます。教師がまったくかかわらないわけではありません。「影の大人」と呼ばれている二人ほどが、そっと見守ったり、求めに応じて情報を提供したりします。

この変わったクラスは月刊雑誌を発行しています。定期購読者はせいぜい一〇〇人あまりなのですが、毎号一〇〇ページくらい、ときには三〇〇ページ近くになることもあります。クラスの活動成果、物語、エッセイ、詩、ニュースなどが載っていて、どれもこれもなかなかの出来です。

さて、本書は中学生の求めに応じてこのクラス雑誌に連載されたもので、みんな楽しみにしてくれていました。このたび黎明書房社長の武馬久仁裕さんのご好意で一冊にまとまりました。

素敵な序文を書いてくださった高橋源一郎さんは著名な作家で大学教授で、しかもNHKのラジオでも活躍されていますが、なんと私たちの学校の保護者でもあるのです。源一郎さんも毎号この小さな雑誌に書いてくださっていました。いい人です。源一郎さんは。

ありがとう、源一郎さん。

ありがとう、武馬社長さん。

ありがとう、喜んで読んでくれた中学生の諸君。

堀　真一郎

著者紹介

堀　真一郎

1943年福井県勝山市生まれ。1992年大阪市立大学在職中に，学校法人きのくに子どもの村学園を，和歌山県橋本市に設立。1994年に大阪市立大学を退職し，きのくに子どもの村学園の学園長に専念し，現在に至る。

主な著書と訳書

『新装版　増補・自由学校の設計』
『増補・中学生が書いた消えた村の記憶と記録』（監修）
『きのくに子どもの村の教育』
『問題の子ども』（新版ニイル選集①）
『問題の親』（新版ニイル選集②）
『恐るべき学校』（新版ニイル選集③）
『問題の教師』（新版ニイル選集④）
『自由な子ども』（新版ニイル選集⑤）
『増補　山の村から世界がみえる』（監修）
『ニイルと自由な子どもたち』
『教育の名言』（編）以上，黎明書房。他，多数。

ごうじょう者（もの）のしんちゃん

2020年9月20日　初版発行

著　者　堀（ほり）　真（しん）一（いち）郎（ろう）
発行者　武馬久仁裕
印　刷　藤原印刷株式会社
製　本　協栄製本工業株式会社

発行所　株式会社　黎（れい）明（めい）書（しょ）房（ぼう）

〒460-0002　名古屋市中区丸の内3-6-27　EBSビル　☎052-962-3045
FAX 052-951-9065　振替・00880-1-59001
〒101-0047　東京連絡所・千代田区内神田1-4-9　松苗ビル4階
☎03-3268-3470

落丁本・乱丁本はお取替えします。　ISBN978-4-654-07678-9